THE LITTLE BOOK OF YES:
How to Win Friends, Boost Your Confidence and Persuade Others
by Noah Goldstein, Steve Martin, and Robert B. Cialdini

ポケットブック

影響力の武器

仕事と人間関係が変わる21の心理学

N・ゴールドスタイン
S・マーティン
R・B・チャルディーニ 著
安藤清志 監訳
曽根寛樹 訳

誠信書房

THE LITTLE BOOK OF YES:
How to Win Friends, Boost Your Confidence and Persuade Others

by Noah Goldstein, Steve Martin,
and Robert B. Cialdini

First published in Great Britain in 2018 by Profile Books Ltd
Japanese translation and electronic rights
arranged with Profile Books Limited
c/o Andrew Nurnberg Associates International Ltd, London
through Tuttle-Mori Agency, Inc., Tokyo

はじめに

ジョン・レノンによれば、彼がオノ・ヨーコに恋をしたのは、一九六六年十一月、ロンドンのインディカ・ギャラリーで行われた彼女の作品展でのことでした。さまざまな展示品のなかに、とりわけ目立つ作品が一つありました。その作品を鑑賞するためには、薄暗い照明に照らされた、不安定な脚立にのぼらなくてはなりませんでした。脚立のてっぺんに立つと、虫眼鏡を使って天井の小さな一角を見つめるように指示されます。そしてそこに、ほとんど読めないくらい小さな文字で、ある単語が書かれていました。

その単語は取るに足りない、ありふれたものでしたが、それでも、それを見るようにお膳立てした女性に恋をしてしまうほどの、非常に強い力でレノンの心を打ちました。世界が危険で不安定な状況にあると感じていただけに、その単語に備わった癒やしの力が胸に響いたのです。

その単語は、ほとんどの人の予想する言葉、「愛」ではありませんでした。むしろ、それは愛を生みもし、愛から生まれもする単語であり、そしてまず間違いなく、愛が関係する場面よりも広範な、誰もが遭遇する人間どうしの交流において、愛よりもずっと手に入りやすい単語でもありました。

その単語は「イエス」でした。

私たちはみな、「イエス」という単語が発揮しうる大きな効果をよく知っています。「イエス」は関係を発展させます。また、学びや探求の後押しをします。私たちが温めている計画へのゴーサインにもなれば、好機到来の裏付けにもなります。「イエス」は私たちに認可を与えます。そして、最も基本的な人間の欲求、つまり、他の人たちとつながりたいという欲求を満たします。

ですが、私たちはみな、それと同じくらい、「ノー」という言葉を聞いたときに感じる落胆にも馴染みがあります。「イエス」という言葉がありふれたものだからというだけで、それが他の人から簡単に手に入ると信じるような愚を犯してはなりません。少なくとも、説得プロセスのいくつかの特徴は知っておく必要があります。

本書は二十一の短い章（どれも五分か一〇分で読めます）からなり、いくつもの効果的な説得手法を紹介しています。どの手法も、あなたの要請に相手が同意し「イエス」と言う見込みを高めると実証済みです。相手というのは同僚かもしれませんし、パートナー、上司、友人かもしれません。あるいは見知らぬ人ということだってあるでしょう。本書の提供する知見は、日々生じるさまざまな説得関連の課題に取り組む場面（たとえば、しっくりいかなくなった人間関係を修復するとき、賃金の値上げや昇給を要求するとき。あるいは、ツイッターで誰かを説得して自分の考えを理解してもらうときや、家族や近所の人に手伝いを頼むとき。または優柔不断な友人に行動を起こすよう

はじめに

説得するときや、あなた自身の社会的ネットワークを構築するとき）で役に立ちます。

説得は魔法ではありません。他の人に影響を与える天賦の才をもって生まれてきたように見える人がいるのは確かですが、だからといって、そうでない私たちも、自分の考えや要請は絶対に受け入れてもらえないと諦める必要はありません。何十年ものあいだ、説得の研究者たちは他者に影響を与えるうえで、普遍的な効果があると示された法則と手法を研究してきました。われわれ著者も、説得の分野では世界的に知られた科学者ですので、本書は説得力が身につく見込みを高めると科学的に裏付けられたアイデアと法則だけを紹介しています。また、さまざまな法則について論じ、それらを効果的かつ倫理的に使う方法を示しています。たとえば、ある章（具体的には「13 褒める」）で説明するのは、職場の気難しい同僚を扱う際に取るべき最善のやり方です。また、別の章（「18 比べる」）では、より効果的に交渉を進めるのに最適な知見を提供しています。二十一の章それぞれは短いながらも、友人をつくったり、優柔不断な人たちを動かしたり、あなたへの信頼を高めたり、他の人のあなたに対する見方を変えたりするために、説得の法則をどう応用すればよいのかについて、さまざまなやり方で詳しく示しています。あなたが本書の一部にだけ目を通すのであれ、最初から最後まで通読するのであれ、きっと学べることはたくさんあり、その結果、仕事でもプライベートでも「イエス」という言葉を聞く回数が少し増えるでしょう。

その一方でご注意いただきたいことも一つあります。「イエス」と一度言わせたからといって、同じ相手がその後また「イエス」と言ってくれるとは限りません。騙されたり、強要されたり、操られたりして「イエス」と言わされたと感じたなら誰でも、その後のやり取りすべてでまったく反対の反応を返しがちになります。ですから、何度も説得に成功するという目標を達成するためには、本書の提供する知見や手法を、信頼を得られるやり方で使う必要があります。「イエス」と言わせるやり方を知るのは、そのための有力な方法であり、この本はその第一歩として最適です。

私たちはレノンの有名な曲『愛こそすべて』が本当は『イエスこそすべて』と名付けられるべきだったと主張するつもりはありません。けれども、次のようには主張させていただきます。もしあなたが本書の知見を思慮深く信頼を得られるやり方で用いるなら、あなたが「イエス」という言葉を聞く回数はきっとずっと多くなっていくはずです。仕事の場面で、そしてプライベートの場面でも。

目次

1 与える

与えることが、欲しいものを手に入れる最初の一歩です。

気前のよさに価値があることは、以前から研究調査の結果によって裏付けられています。他の人にプレゼントを贈ったり、親切をしたり、情報を提供したり、手を貸したりした後、私たちはたいてい、それまでより好かれるようになり、評価が上がったように感じ、そのうえ、進化に関する研究によれば、健康状態の改善や幸福感の高まりすら経験します。

与えるという行為は人間らしさの中心をなし、説得という行為とも密接な関連をもっていますが、その理由は至ってシンプルです。援助や協力を受けた人は概して、今後、相手がもし協力を必要とするときには、してもらったことのお返しに手を貸そうと思う気持ちが強くなるためです。そう考えるもとになっているのが、返報性の規範、つまり、人間は自分が最初に受け取った行為をその相手に同じ形で返そうとするものであると説く社会的ルールです。

あらゆる人間社会はその成員に対して、この強力な社会的ルールを幼いときから教え込んでいます。あなたもきっと、親御さんから「してもらいたいと思うことを他の人にしてあげなさい」と教わったことでしょう。親御さんも自分たちの親から同じように教わったはずです。そう教えるのには単純でありながらも深遠な理由があります。返報性のルールは、さまざまな資源の交換を奨励することによって、たいていの場合、関係者全員がより大きな利益を得られるようにしています。そこから生まれるのは、より密接な連携、効率性の向上、より互恵的で長続きする関係です。

考えてみてください。ご近所さんがあなたをホームパーティーに招いてくれるのは、そうすることで、今後あなたがホームパーティーを開くときに自分が招待される見込みが高まり、さらには、有益で長続きする関係の生まれる可能性も高まることがわかっているからです。また、ある人が職場で同僚のプロジェクトに協力（たとえば助言、リソース、重要な情報などの提供）を頼まれ、それを引き受ける場合、その人はそうすることで、将来頼み事ができたときに、相手の手を借りやすくなると思っているかもしれません。これはひねくれた物言いに聞こえるかもしれません。人が他の人を助けるとき、実は自分のことばかり考えているのだと言っているみたいですから。そういう人もいないわけではありませんが、大切な点は別にあります。大切なのは、大っぴらに惜しみなく与えれば、あとはひとりでに返報性の原理が働くということです。

また、見落とさないでいただきたいのは、他の人に対して先に援助やプレゼントやリソースを提供することこそが、返報性の原理を発動させるという点です。先に与えるという行為は、相手の社会的義務感を刺激して、同じようにするべきと思わせます。その結果、この社会的な義務感を背景にして、借りのある相手のお願いには「イエス」が出やすくなります。私たちが「イエス」と言う気になるとき、その理由が自分たちの意識的な判断にではなく、相手に対して感じる社会的な義務感にあるということも珍しくありません。

やり手のマーケティング担当者たちは、無料サンプルや、新発売のアプリのトライアルを試した人全員が購入に至るわけでなくとも、最初の「プレゼント」にかかった費用を補ってあまりあるだけの人が購入を決めることを知っています。慈善活動家たちは、寄付のお願いに贈り物（たとえば何枚かのグリーティングカード）を添えれば、寄付をしてくれる人が増えると知っています。たとえば、金銭的援助を訴える手紙に、オリジナルの住所ラベルシールを同封したところ、米国退役軍人障害者協会への寄付率は二倍近くにはねあがりました。

これは、他の人たちに与えることが、その投資に対する見返りを保証すると言っているわけではありません。特に、最初のオファーに、引っかけてやろうという意図が透けて見えるような場合は駄目です。もし道を歩いているときに、見ず知らずの人が近づいてきて、お金を差し出してきたら、受け取る人はあまりいないでしょう。詐欺だと感じる見込みのほうがずっと高そうですし、おそらくそれは本当に詐欺です。

ですが、思いやりや個別化された要素を伴うのなら、喜んで手を貸したり何かを与えたりすることには、説得の観点から見た利点が確実にあります。世の中がますます画一的で情報過多になりつつあることを鑑《かんが》みれば、比較的ささやかな個別化でさえ、役に立つかもしれません。心理学者のランディ・ガーナーは、カバーレターに付箋を貼って、相手の名前を入れたメッセージを書き添えて送ると、依頼通りに調査票に記入して返送してくれる人の数が倍になったと論文で述べています。また、わざわざ手書きで宛名を書いてある封筒は、つい開封してしまうものですが、そうしてしまうのには理由があります。あなたの注意を得ようと（そして、請求書の場合なら、あなたのお金も得ようと）して郵便受けに押し入ってくるほとんどの郵便物とは違って、手書きの手紙は、誰かが手間暇をかけて個別化しているため、目立つのです。そして、だからこそ、それは手間暇をかけて応答するようあなたを促すのです。

返報性のルールを用いて説得を行うということに関して、わかっていることが一つあります。それは、援助、協力、支援を最初に行い、しかもそれを一見無条件の、個別化されたやり方で行う人は、たいていの場合、職場で、あるいは友人グループや社会的ネットワークのなかで、最も説得力のある人と見なされるということです。

肝に銘じておくべきは、非常に説得のうまい人たちなら、「私を助けてくれるのは誰だろう」と自問することはまずない、という点です。それよりもずっと、彼らが自問していそうなのは、「私が先に助けてあげられる相手は誰だろう」ということなのです。

与えることについて

✓ あなたが説得したいと思っている相手、あるいはその人から何かを得たいと思っている相手を思い浮かべてください。その人に対して、あなたが先にしてあげられることや、与えられる援助は何でしょう。

✓ あなたの要請をもっと個別化する方法を考えましょう。手書きのメモを使ったり、Eメールではなく電話で連絡をとってみてはどうでしょう。

✓「誰が助けてくれるか」ではなく「誰のことなら助けられるか」と自問する癖をつけましょう。

2　交換する

自分の周囲に交換の文化をつくれば、あなたも含めた全員が得をします。

通りで車の列に入ろうとするときに、親切な人が前を譲ってくれると、そのすぐ後、かなりの確率で、あなたも同様の親切を別のドライバーにしてあげていることにお気づきでしょうか。もちろん、いつもそうなるとは限りません。そして、タイミングが鍵になります。交通に関係した親切を受けるのと、その親切を別の人にまわす機会とのあいだに数秒以上の間が空くと、あなたがそうする確率はぐっと下がってしまいます。

あなたがそうするかどうかはともかくとして、こうしたことは非常に頻繁に行われているため、社会的ルールとして受け入れられています。ある意味でそれは社会的返報性のルールと似ています。「似ている」という単語を使ったのは、厳密にいうとその二つはまったく同じではないからです。同僚が時間とリソースを割いてあなたのプロジェクトを手伝ってくれるのは、将来あなたから同じような親切のお返しを受けられると、少なくともある程度は見込んでいるからです。同様に、近所の人があなたの旅行中、あなたの部屋や家を気にかけてくれるなら、その人は自分が旅行に行くときに、あなたから同様の親切を受けられるという現実的な期待をもつことができます。

一方、道を譲ってくれた親切なドライバーは、あなたの後方にいるわけですから、お返しを受けられる見込みなどありません。けれども、だからといってそうした親切な行為が報われないというわけでもないのです。その人と目が合ったときに「ありがとう」と口の形で伝えたり、バックミラー越しに親指を立てたりするのに加えて、あなたは別の人にその親切をまわしやすい気分にもなっています。恩返しの機会がないとき、私たちは代わりに恩送りをします。これは、ただ車の流れにとってだけ有益な概念ではありません。関係者全員にとって有益な関係を築いたり、より成功の見込める説得戦略を作るうえでも、役に立つことがあります。

例として、テレコミュニケーション大手の企業で実施された実験を取りあげましょう。その実験では、オフィスの同僚たちがお互いのために行った親切の回数を数えました。また、他の人を助けることが、助けた人の社会的ステータスにどう影響するのかも記録しました。驚くような話ではありませんが、時間と援助を気前よく差し出した人たちは同僚たちからより高い評価を受けただけでなく高い好感度も得ていました。ですが、そうした人たちは、しばしば仕事上の生産性が他の同僚たちよりもずっと低いということがわかりました。他の人を喜んで助けることが、ある種のコストとなり、自分の課題と取り組む時間が少なくなったためでした。

幸い、研究者たちは、ある選抜グループ（ここに入ったのは、同僚たちへの協力と社会的ステータスの向上の両方を、自分の仕事に少しも悪影響を与えずに行っていると見られる従業員たちでした）で用いられている手法の特定に成功しました。さて、彼らは何をしていたのでしょう。超自然的な力でも使っていたのでしょうか。いえいえ、そういうわけではありません。

彼らはただ、自分が他の人を手伝うのは、交換という当たり前のプロセスの一環だと伝えていたのです。彼らには、協力へのお礼を言われた後、「ここではみんながお互いのためにこうするのさ」とか「もし立場が逆なら、きみも同じことをしてくれたに決まっているからね」といったことを言う傾向が強く見られました。その一方で「いいって、いいって」や「手伝いができて嬉しいよ」「気にしないでくれ」といったことを言う傾向は非常に弱かったのです。

また、お礼を言われたときに「これで貸しが一つできたな！」とは決して言いませんでした。

研究者たちの言葉を借りれば、彼らは交換のためのお膳立てを行い、そのプロセスのなかで、交換を行う傾向の強まった同僚たちによる前向きなネットワークを作りだしたのです。交換とは、人々のあいだで、全員が得をするようなやり方によって行われる、ギブ・アンド・テイクのプロセスです。パートナーシップはより強固になり、共同体は結束を強め、内部の文化がより信頼のできる健全なものになります。

交換の促進は、職場に限るべきようなことではありません。社会学者たちは家族や友人のあいだにおける、最も生産的な交換パターンを調べています。ほとんどの場合、各個人にとって最も満足度が高く健全な状況というのは、釣り合いの取れた、つまり平等な交換が行われるときです。援助と協力の提供が一人か二人の人に集中する環境では、あっという間に、不平不満や不信が場を支配してしまいます。そうした環境が生まれる理由はいくつかあります。援助をした人が、お返しを受け取ろうとしない場合もあります。また、お返しの援助を受けたいとは思っていても、自分から言い出せない場合もあるでしょう。あるいは、援助を受けた側が、援助してくれた人の高い基準を満たすのは到底無理だと思い込んでしまうこともあるかもしれません。またときには、援助を受けた側が援助したほうをただ搾取するという場合もあります。この場合、彼らは厚意の受け手《レシーバー》であることをやめています。それはただの厚意泥棒《テイカー》だからです。

もちろん、交換のためのお膳立ての最も良いやり方はその都度考えなくてはなりません。もし、他の人の協力が欠かせない仕事上の目標があるなら、以前してあげた手助けは、互助の精神から行ったものであると示すのが良い作戦かもしれません。あなたの手助けが善意からのものであって、相手にお返しを強いるためになされたものではないのなら、友好的に「手伝ってもらえると本当に助かるんだけど」と言うだけで、うまくいくかもしれません。もしも目標が、もっと一般的で時間的制約の緩いもの（たとえば、協力や情報共有を促すこと）なら、あなたの手助けを喜んだ受け手に、同じ親切を他の人にしてあげるよう求めてもよいでしょう。あなたの知り合いの誰かに連絡先を教えてもよいか、あるいは何か助けを必要としている同僚や友人にあなたを紹介してもよいかと尋ねてみましょう。もしかすると、相手は別の部署にいる同僚や共通の知人の助けとなる有益な情報や知見をもっているかもしれません。

さて、厚意泥棒《テイカー》、つまり他人の善意を搾り取ることばかりに熱心で、交換を特徴づける互恵関係のことなど考えようともしない人々に対しては、どうしたらよいでしょう。お勧めはこうです。厚意泥棒には援助ではなく、助言を求めましょう。そうするとき、私たちは彼らにある種の敬意を払っています。そのため、彼らは重要人物になったような気分になり、その結果、手助けしてやろうという気になるかもしれません。もちろん、他の人を説得するということに関して、絶対確実なやり方など一つもありはしませんが、一般論として、ほとんどの人は、助言を求められると好意的な反応を返すものです。

援助や協力の恩返しや恩送りを促すかどうかは、あなたの目標が達成への勢いを得るか、それともよくある人間関係の渋滞で身動きが取れなくなるかを大きく左右するかもしれません。

交換することについて

- ✓ 他の人に利用されることが多いと感じているなら、もしかすると「いいって、いいって」と言い過ぎているのかもしれません。他の言い方を考えてみてはいかがでしょう。
- ✓ どんなときに他の人があなたに「ありがとう」と言うかを、しっかりと聞きましょう。ありがとうの記録をつけ、毎日のギブ・アンド・テイクのバランスが取れているかどうかを調べましょう。
- ✓ 親切をまわしていくやり方を探しましょう。同僚から手助けを感謝されたなら、今度はあなたのチームや知り合いの誰かを助けてあげてくれないかと頼みましょう。

3 プレゼントを贈る

本当に大切なのは気持ちです。ですから、相手に何が欲しいか尋ねましょう。また、自分の欲しいものを求めしょう。

何人かにアンケートを行い、友達の誕生日祝いや同僚の退職祝いのプレゼントを選ぶのがどれくらい得意か尋ねるところを想像してみてください。どんな反応が戻ってくると思いますか。もし、心理学者のフランチェスカ・ジーノとフランク・フリンがこの質問をしたときと似た結果になるとすれば、質問された人の大半はプレゼントを選ぶのがかなり得意なほうだと答えるでしょう。

ですが、さらにもう一つ質問を加えて、その人たちの友人や家族、職場の同僚は、プレゼント選びがどれくらい上手かと尋ねれば、かなりの確率でぞっとするような話が聞けるはずです。悪趣味な手編みのセーターからゴテゴテのアクセサリー、果ては笑ったら失礼なのに笑いをこらえるのが大変な品（たとえば電気仕掛けの歌う魚）の話まで。ほとんどの人はプレゼント選びが得意だとおっしゃいますが、もし思っているのと現実とが少しでも重なっていたなら、あれほどたくさんのプレゼント（笑えるものもたまにはありますが、ほとんどはぎょっとするような代物です）の写真がピンタレストやフェイスブックに投稿されているはずはないように思われます（何千という具体例を見たければ、#BadGifts で検索してください）。

贈り物の交換は、返報性のルールの中心だというのに、プレゼントのもつ価値、有用性、そしてそれに対する評価が、贈り手と受け手でこれほど頻繁に食い違うのはどうしたことでしょう。

ある研究では、既婚者の方々に、結婚祝いとして贈ったプレゼントについて考えてもらいました。何人かには相手の欲しいもののリストから選んだプレゼントについて、それ以外の人にはリストから選ばずに買ったプレゼントについて考えるよう求めました。回答が出そろったところで、今度は立場を逆にした質問をしました。彼らが結婚式当日に受け取ったプレゼントについて尋ねたのです。このときは、まず彼らが欲しいものリストに載せていたプレゼントをもらったときのことを、次にリストに載せていなかったプレゼントをもらったときのことを尋ねました。

贈られたプレゼントの金額はどれも似たり寄ったりでした（平均で大体七十五ポンド）。そして実験参加者たちは、プレゼントを渡す側だった場合、それが欲しいもののリストに載っていたものであってもなくても、もらった人は感謝すると考えました。けれども、自分の受け取った結婚祝いについて考えたときには、欲しいもののリストから選ばれたプレゼントのほうをずっと喜んでいたのです。

ある意味で、これはそれほど驚くような話ではなさそうです。結婚を考えているカップルであればおそらく、プレゼントは新生活を始めるにあたって必要な品（つまり、買い忘れたりダブらせたりしたくない品）を並べた欲しいもののリストから選んでもらうほうがありがたいでしょう。そもそも、チーズボード[†訳注1]が三枚必要だったり、歌う魚が二匹必要だったりする人なんて、いったいどこにいるのでしょう。

では、プレゼントを贈る場面が違ったらどうでしょう。たとえば、結婚祝いではなく誕生日プレゼントだとしたら。研究者たちがこの問題をさらに調べたところ、結婚祝いのときとまったく同じ結果になりました。贈る側は、相手がそのプレゼントを欲しいと言っていたかどうかで、もらったときの満足感や感謝の念に大きな違いが出るとは考えていませんでした。けれども実際には、欲しいと言っていたものを受け取ったときのほうが、受け手の満足感や感謝の念はずっと大きくなったのです。

だとすると、喜ばれるプレゼントを選ぶという課題への簡単な解決策は、友人や家族に欲しいものを書き出してもらい、そのリストから買うものを選ぶ、ということになるのでしょうか。

実のところ、その答えはイエスです！

ですが、このやり方には心配な点もあります。何が欲しいか尋ねなくてはならないせいで、ぴったりのプレゼントを買えるほどには自分のことをわかっていないのだと思われたりしないでしょうか。あるいは、さらに悪く取られて、ぴったりのプレゼントを選ぶのに必要な時間や努力やエネルギーを惜しんでいると思われはしないでしょうか。

実はそうした心配は杞憂であることがわかっています。欲しいと言っていたプレゼントを受け取った人たちは、実際には感謝の気持ちがずっと大きくなります。本当に欲しいものを受け取ったからです。そして大事なのは、私たちの贈ったプレゼントに対して相手の感じる感謝の度合いなのです。それはただ相手が将来お返しをしようと思う気持ちの強さを決める要因の一つというだけでなく、相手の幸福感にも影響を与えます。ですから、プレゼントを選ぶときは、その人が本当に欲しいものを特定する方法を見つけ、それを買うのが、プレゼントを贈るほうにも受け取るほうにもメリットのあるやり方です。そうすれば、受け取るほうは満足感と感謝の念を、渡すほうは安堵と喜びを覚えるわけですから。

ところで、プレゼントにはどれくらいお金をかけるべきでしょうか。私たちは、日々の暮らしで、値段相応ということを学んでいます。そうなると、プレゼントの値段は重要なのではないでしょうか。答えはイエスですが、おそらく、あなたが考えているのとは意味合いが違っています。値段の高さは、そのプレゼントが喜ばれることを必ずしも保証しません。場合によっては、金額的に安いもののほうが、ずっと喜ばれるということもあるようです。

ある研究では、実験参加者に比較的安価なウールのコート（値段は五十五ポンド）と、比較的高

†訳注1　チーズを載せて出す板。

価なスカーフ（値段は四十五ポンド）の、二つのプレゼントを渡し、贈り主の気前のよさを評価させましたが、スカーフの贈り主のほうがずっと、ずっと気前がよいという結果になりました。値段自体はスカーフのほうが安いのにそうなったのです。これはあらゆるプレゼント選びの参考になる話です。もし友達や家族から、プレゼント選びで、気遣いができ、物惜しみしない人だと言われ（しかも、その一方で密かに節約精神の健在な人でもあり）たいなら、アドバイスはこうです。プレゼントには高価な商品カテゴリーの手頃な品ではなく、安価な商品カテゴリーの高級品（たとえば四十五ポンドのスカーフ）を選んで購入しましょう。そうすることにはいくつものメリットがあります。プレゼントをもらった人はより感謝するでしょう。あなたの気前のよさへの評価も上がります。そして、おそらくは何より重要なこととして、「ケチだ」と言われる心配がなくなります。

プレゼントを贈ることについて

- 相手に欲しいものを尋ねてよいのだということを忘れないでください。そうするほうが結局は相手の満足度が高まるので、あなたの満足度も高くなります。
- ですから、あなたが欲しいものを相手に伝えることにも、なんら問題はありません。
- 今度、誰かにプレゼント（ワインのボトルであれ誕生日のお祝いであれ）を買うときには、値段が相対的だということを忘れないようにしましょう。そして、高額の品よりも高級品を買うほうが良いと覚えておきましょう。

4　協力する

「あなた VS. 私」ではなく「私たち」と考えれば、人は二つ以上の点であなたの味方になってくれるでしょう。

一九一四年十二月、ヨーロッパはいまだ前代未聞の残忍な戦いにはまりこんだままでした。敵対し合った両軍が、西部戦線に沿ってごく至近距離で対峙していました。怒鳴れば声が届くほどにまで両軍の陣地が近接した場所もあちこちにありました。そして、にらみ合う期間が数週間から数カ月へと伸びていくにつれて、両軍の兵士は向かいの塹壕の敵兵をますますよく知るようになっていきました。

徐々に、両軍兵士が互いに協力する事例が増えていきました。始まりは、夜間に敵方の兵士が、戦死した仲間の死体を回収するあいだ、発砲を控えてやったことでした。

こうした束の間の停戦を積み重ねて実現したのが、第一次世界大戦の伝説となったクリスマス休戦です。話はこう進みました。一九一四年のクリスマスの数時間、敵味方に分かれて対峙していた両軍が自発的な休戦を宣言します。そして、兵士たちは塹壕から出て、また戦うことになる相手と一緒にサッカーを楽しんだのです。

人が（たとえ敵同士であっても）共通の目標を達成するために協力するとき、その様子は、食うか食われるかの進化論的なメンタリティの産物と多くの人が考えているものと相反しているように見える場合があります。クリスマス休戦が、戦争の歴史のなかでも特に有名なエピソードの一つとなったことには、なんの不思議もありません。対立と協力が正反対のものに見える世界において、この敵味方に分かれた兵士たちのあいだに生じた幕間劇は、並び立ちようのない敵同士でさえ、協力の儀式をともにやり遂げられることを示す感動的なエピソードなのですから。

それを実行するのは難しく思えるかもしれません。私たちには、自分たちと他の人たちを分けて考える傾向があるからです。私たちはしばしば「あなた」と「私」あるいは「彼ら」と「私たち」という観点でものを考え、自分たちのことしか考えない部族的メンタリティに捕えられます。ですが協力は説得に欠かせません。そしてもし、私たちを分断するものにではなく、結びつけるものに注意を集中すれば、協力、そしてひいては説得がずっと簡単になります。「あなた」VS.「私」ではなく「私たち」でものを考えてください。

クリスマス休戦の場合も同じでした。兵士であるという共通のアイデンティティとサッカーという共通の趣味こそが、少なくともしばらくのあいだ、敵同士の協力を実現させたのです。そして協力できる領域を見つけ、共通の利益を強調することは、現代でもまったく同じように力強い効果を発揮します。

一続きになった素晴らしい研究で、イギリスの心理学者マーク・レバインはマンチェスター・ユナイテッドの熱烈なサポーターに個別面談形式でチームの好きなところに関するアンケート調査を行い、それから次の実験を行うために徒歩で別の建物に移動するよう指示を出しました。この移動の途中で必ず、参加者の目の前で通りすがりの人物（この人は実験の仕掛け人の一人でした）が転倒し、痛みに苦しみはじめます。転倒した人物は無地の白いシャツを着ていることもあれば、マンチェスター・ユナイテッドのシャツを着ていることもあり、ときにはライバルチームのシャツを着ていることもありました。

あらかじめ密かに配置された観察係が、クリップボードを手に待ちかまえ、実験参加者のうち、立ち止まって「怪我人」を助ける人が何人いるかを数えました。「怪我人」が白いシャツを着ていた場合には助けにいった人は三分の一ちょっとでしたが、マンチェスター・ユナイテッドのシャツを着ていた場合には大多数がそうしました。おそらく驚くようなことではないのでしょうが、「怪我人」が助けてもらえないことが一番多かったのはライバルチームのシャツを着ているときでした。これは人間に、自分と同じ内集団に属しているとみなした相手を主に助ける傾向があることの明確な証拠です。

幸い、この研究では、最初に仲間ではないとみなした人ともっと協力するようにという説得をまったく受けつけないほど心の狭い人はあまりいない、ということも実証されています。同じ形式の実験をもう一度実施して、チームの好きなところではなく、サッカーチームのサポーターをしていてよかったと思うところを尋ねたときには、実験参加者がライバルチームのシャツを着た人を助ける確率が倍増したのです。

第一次世界大戦のクリスマス休戦の場合、何カ月もの無駄な戦いののち、兵士の多くが敵陣にいる人々を自分の同類、つまりイギリスの兵士とドイツの兵士という見方よりも広い、「疲労困憊した兵隊」という分類に当てはまる人間とみなすようになっていたと考えられます。そして、比べれば見劣りするのは否めないにせよ、人々に相互協力の必要を説く際に、あなたが直面するかもしれない問題においても、協力を促す基本的なルールは同じです。焦点を当てるべきは、分断ではなく結束のための共通目標、そして当事者双方が共有する、より広いアイデンティティです。まずは双方に同意可能なポイントを探し、そしてそれを議論の中心に据えましょう。これは当たり前のように見えながらも、しばしばその場の熱気のせいで忘れられてしまうやり方です。

他の人と協力関係を作る別の効果的な手法は、あなたとの共同作業に相手を積極的に誘うことです。仕事で良いアイデアが閃いたとしましょう。そういったときにお勧めなのは、称賛を独り占めすべく単独でことを進めるのではなく、計画の草案を作成し、それを同僚に（ときには上司にさえ）渡して意見を求めることです。承諾を得ようとすることが、彼らの協力と、彼らの当事者意識（これが大切です）を得ることにもなるのです。これはしばしば「イケア効果」と呼ばれる戦略ですが、そんな名前がついたのは、人の傾向として、作り出すのに自分が一役買ったものに対してだと、評価が非常に甘くなるからです（たとえば、あなたや、あなたのパートナーが組み立てた、あの不安定な棚のことを考えてみてください）。

協力することについて

- 今度売り込みたいプロジェクトや提案があるときには、上司にこう言いましょう。「この件についてご意見いただけると本当にありがたいのですが」。上司から意見をもらうことで、両者の考えにまとまりが生まれます。そして、これが説得成功の鍵となります。
- よそよそしい同僚やご近所さんを説得するときには、まず相手とのあいだに共通点を探し、そこを強調してから説得にかかりましょう。
- 初めて誰かと会うときには、その前にちょっとリンクトインやフェイスブックを検索して、共通の興味や経験を探しましょう。
- 「2　交換する」を読んで、アドバイスを求めることの有効性を理解しましょう。アドバイスをすることで、パートナーシップ、チームワーク、そして最終的には協力の意識が相手に生まれてきます。

5　一呼吸置く

感情は私たちのあらゆる交流に影響を与えます。ですから、他の人を動かそうとする前には、少し時間を取って自分の気分を確かめましょう。

もしあなたがテレビドラマ『セックス・アンド・シティ』のファンなら、次のようなエピソードを覚えているかもしれません。キャリー・ブラッドショーが、親友のサマンサとニューヨークの通りを歩いています。サマンサは怪我のために足を引きずっています。そして、ある時点でサマンサは「痛い」と叫び、心配したキャリーがこう言います。「ねえ、そんなに痛いのなら買い物なんてしなくてもいいんじゃない」。

すると、こんな反論が戻ってきます。「私、つま先はくじいたけど、気持ちはくじけてないわよ」。

多くの人が共感するでしょう。買い物に癒やしを求めたり、それによって悲しみを和らげたりする人は大勢います。ですが、それは必ずしも賢いやり方ではありません。誰にでも覚えがあるでしょうが、感情の状態は行動や選択に悪影響を及ぼしかねません。ときにはそのせいで、その場では正しいように思えても、結局、長い目で見ると、ひどく高くついてしまうような決定を下してしまうことさえあります。

説得と関連した話をすれば、感情の演じる重要な役割を認識しておくのは重要です。意思決定、とりわけ購入と交渉に関する意思決定における感情の役割を調べた研究はたくさんあります。たとえば、悲しい経験は、あるものにどれくらい払ってもよいかという心構えに大きな影響を与える場合があります。買い手が悲しい気分の場合、ある商品に払ってもよいと思う金額が高くなりがちに、売り手が悲しい気分の場合には、商品を安い値段で手放しがちになります。ある研究では、実験参加者に二種類用意した映画のどちらかを見せました。一つは感情を揺さぶり、見る者を悲しくさせるような作品で、もう一つは感情的な影響のない作品（題材は……魚）でした。

その後、実験参加者たちは二つのグループに分けられました。片方のグループはさまざまな商品に払ってもよいと思う値段をつけるよう指示を受けました。もう片方のグループの買い手は、出してもよいと思う金額が約三〇パーセントも高くなりました。悲しい気分の売り手はつける値段が三分の一ほど安くなりました。そしてどうやら、こうした決定がなされるとき、その原因はまったく意識されないようです。値付けの前に悲しい気分になったことが大きな影響を与えたと考えた人は、一人もいなかったのです。

もちろん、自説を述べるときや、他の人を説得するときに、あなたの能力に影響を及ぼすのは、悲しみだけではありません。どんな感情も影響します。なんらかのチャンスに気分が高揚したときのことを考えてみてください。そうしたとき、良い面にばかり意識が集中し過ぎ、今後直面する可能性のあるリスクを見落とすという傾向が人間にはあります。その一方で、不安を感じているときには、失敗するかもしれないということにばかり目を向け過ぎて、非常に良い提案を結局見送ってしまうということもあります。他の条件が同じなら、より良い決定を下す見込みが高いのは、感情的にニュートラルな意思決定者です。

ですから、重大な決定を下したり、非常に重要な交渉を始めたり、あるいは腹立たしいEメールに返事を書いたりするときでさえ、その前に自分がどんな気分なのかを突き止めておくことは絶対に欠かせません。電話会社との契約条件の交渉から、新居の購入、採用面接に至るまで、あなたの感情は結果に影響を及ぼすはずです。高揚した気分を味わっているときには、たとえ自分の判断能力にはなんの影響も出ていないと確信していたとしても、他の人とのやり取りを控えることを考えるべきです。難しいときもあるでしょうが、そうした場合には、落ち着くために短い休息を入れるとよいでしょう。気分が鎮まるにつれて、しっかりと考える力も、説得的に自説を述べる力も、向上するはずです。

あなたがもし、勤め先で休憩を挟まず次から次へとミーティングを入れるタイプなら、ひょっとするとあなたは自分にひどい仕打ちをしているのかもしれません。ミーティングとミーティングのあいだには短い休憩を挟むことをお勧めします。そうすれば、あるミーティングで生まれたなんらかの感情を、次のミーティングに持ち込んでしまう危険が減るでしょう。これは、その次のミーティングで重大な決定を下したり、大事な交渉を行うことになっている場合には、特に重要かもしれません。

同じことは友人や家族が相手のときにもいえます。苛立ちや不安、怒り、あるいはその他の望ましくない感情を抱きながら議論を始めてしまうと、単なる意見交換で済みそうなものがすぐに、説得術も影響力もお呼びでない口論に発展しかねません。

また、他者の意思決定に影響を与えようと思うときには、相手の気分が演じる役割を見落とさないようにしましょう。動揺するような知らせを受け取ったばかりの人を説得にかかったり、あるいは、さらにひどいことですが、相手の気分が沈むとわかっている話題を思い出させようとしたりするのは、どちらも軽率であり、ときには倫理的に間違っていることでさえあります。相手の落ち込みを利用して意思決定を促せば、たいていの場合、相手はいずれ後悔し、恨みを抱くので、長期的な関係を築くことはまずできません。むしろ、相手が悲しい体験をしたばかりなら、こちらから交渉の延期を申し出ることが、実際にはその関係を強化することになります。寛大で、思いやりがあり、賢明な人物という印象をそれまで以上に強く与えられるからです。

それらはすべて、もう少したくさん「イエス」という言葉を聞きたいと願う人にとって、値段のつけられないほど貴重な特徴です。

一呼吸置くことについて

- 重要なミーティングや、やり取りの前には、こう自問してみましょう。「今現在、自分はどんな気分だろう」。もし望ましくない気分になっているなら、一呼吸置いて、落ち着きを取り戻しましょう。
- 強い感情にミーティングの邪魔をさせない方法を見つけましょう。先に新鮮な空気を取り込みましょう。短い散歩もお勧めです。あるいは、少しのあいだ安静にして、望ましくない気分とのあいだに距離を作るよう心掛けましょう。
- 誰かに何かを求めるときには、間が悪くないかどうかを確かめましょう。もし相手が動揺していたり、怒っていたり、悩んでいるようなら、出直すことにしましょう。

6 譲歩する

最初の要請が、その後の要請の成否を大きく左右します。ですから、まずは厳しい要求を出し、その後で譲歩をしましょう。

想像してください。ある日、通りを歩いていると、誰かがこちらへ近づいてきます。親しげな笑みを浮かべて挨拶してきたことを除けば、相手にこれといった特徴はありません。そして地元のユースワーカー†2協会の一員ですと自己紹介をした後、こんなお願いをしてきます、今週末、子どもたちを動物園に連れていくボランティアをお願いできないでしょうか。あなたは週末に入っている予定のことを考え、なるべく相手と目を合わせないようにしながら、丁寧に断ります。ユースワー

†2　青少年の育成を支援する専門家。

カーたちが、そうした催しに参加するよう外部の人間を説得して、自分たちの仕事を減らしているのだと考えるかもしれません。そしてそれはたぶん正解です。ここで書いたシナリオは、実はある研究のものです。結果を見ると、見知らぬ人から急に手伝いを頼まれて、「イエス」と言う気になる人は多くはありませんでした。

一方、同じ道の反対側でも、別のユースワーカーのグループが、やはり通行人に声をかけていました。こちらのグループでは、週末に子どもたちを動物園まで引率してもよいと答える人の数を三倍にする方法が見つかりました。彼らの戦略は、何か費用のかかる誘因を必要とするわけでもなく、特定のタイプの人を狙ったものでもありません。必要とされるのは、譲歩に関する人間心理への基本的な理解だけです。

「私たちのセンターでカウンセラーをやっていただけないでしょうか」。彼らはまずそう尋ね、続けて、引き受けてもらった場合には、むこう三年間続くプログラムに則って、毎週末に二時間ずつ時間を取られると説明しました。こんなお願いをされたときの人々の反応を想像してみてください。たいていの人ははっきりと断りました。なかには断り方が非常に無愛想な人もいました。

参加の意思を示す人は一人もいませんでした。ですがその後、驚くような事態が生じたのです。はじめの拒絶にめげることなく、ユースワーカーはすぐさま妥協案を提示しました。「三年間のプログラムにボランティアとして参加するのがどれだけ大変かはわかります。でしたら、その代わりに今週末、子どもたちを何人か動物園まで連れていってあげることはできないでしょうか」。

さて結果は？　前述のように、「イエス」と言った人の数が三倍になりました。

この研究、およびこれと類似した研究でわかったのは、要請への同意ということに関して、人はより負担の大きいお願いに「ノー」と言った直後だと、より小さな頼みに対して「イエス」と言う見込みがずっと高くなりがちだということです。こうした一般的現象が起こる理由の一つは、たいていの場合、人が譲歩や妥協をある種のプレゼントと見ていることにあります。「1　与える」で、私たちは人々が（返報性のルールに則って）最初に受け取ったものを相手にお返しする社会的な義務を感じるという考えを検討しました。そして、どうやら人間の社会的義務感に沿った反応は、プレゼント、親切、無料サンプルに対してだけ生じるわけではないようなのです。そうした反応は譲歩や妥協に対しても起こります。

この戦略（社会心理学者は拒否したら譲歩法と呼んでいます）が最も効果的なのは、最初になされた要請が信じがたいほど極端なものでないときです。最初の要請をわざと誇張したものにして、そこまで極端でない要請をより受け入れやすいものに「見せよう」とすると、わかりやすい策略だと見抜かれ、すべて拒否される可能性が高くなってしまいます。とはいえ、最初に大胆な要請を行ってはならないというわけではありません。それどころか、他の人を説得しようとするときによくある間違いは、要求を出しきらないということなのです。あまりにも頻繁に（おそらくは言下に拒否されるのを避けようとしてのことでしょうが）、人は希望するラインを引き下げてしまい、そうすることで、全体的な説得力も引き下げてしまうのです。そう考える根拠は二つあります。

第一に、相手は最初の要請に「イエス」と言うかもしれません。いつもではないにせよ、そうなる見込みは常にあります。そして常に、提示されていない要請に比べれば、そうなる見込みは高いのです。第二に、そして、拒否したら譲歩効果の教えるとおりに、妥協案として次の要請をすぐに出せば、相手が嫌々ながらも受け入れる見込みは高くなります。ですから、もし小さく始めれば、最後も小さく、というか、さらに小さく終わりかねません。

　気をつけていただきたいのは、すぐにという単語です。すぐに妥協案を出すというのは、当たり前の話に思われるかもしれませんが、これはたいてい、忘れられています。最初の要請や提案が拒否された後、私たちはまず撤退して傷を癒やし、それから別の日にもっていくべき代替案をひねり出しがちです。そのせいで、説得力の増す瞬間が無駄になっているのです。こちらとしては、一続きのものと考えている次の要請が、説得すべき相手には、まったく無関係の別物と見なされる可能性が高くなってしまうからです。長期間カウンセラーとして働くという、より大きなコミットメントを拒否した人たちに、数日経ってから、子どもたちを動物園に連れていってくださいとお願いしても、うまくいく見込みはあまりありません。うっとうしいやつだと思われる可能性のほうが高くなるでしょう。

譲歩することについて

- こう自問してください。「自分の理想的ゴールは何だろう。そして、どんなことなら譲歩できるだろう」。前もって求めるものと落としどころを用意し、それらを頭に入れておきましょう。
- 理想のゴールを常に最初の提案としましょう。
- どうせ断られると思い込んで、最初の要請のラインを下げる誘惑に負けないようにしましょう。そうした状況での「ノー」という言葉はあなたの味方になってしまいます。大胆に要請を行い、その後二つめの要請をぶつけましょう。

7 知ってもらう

話しはじめる前に自分の専門やもっている知識をはっきり示せば、相手はきっと耳を傾けます。

説得力をもつのに欠かせない道具といえば、情報と専門知識です。もしその場で最上位の地位にいなかったとしても、なんらかの専門知識や正確な事実を知っている、あるいは必要な調査を終えていることが示せれば、議論をリードできます。ですが、能力や知識の点で、他の人たちに勝《まさ》っているのがはっきりしていても、知ったかぶり屋と言われたくなくて口をつぐんでしまうことだってあるでしょう。ミーティング中に、あなたの素晴らしいアイデアや洞察が同僚たちから気づかれずに終わり、その結果、それよりも劣った、他の人のアイデアが採用されてしまうこともあるでしょう。

ハーマイオニー・グレンジャーは、ホグワーツ魔法魔術学校にいるあいだ、そうした状況に何度もぶつかりました。正解を答えたせいでクラスメートからしょっちゅうからかわれましたし、一度などは、闇の魔術に対する防衛術の授業で、教授の意地悪な言葉に傷ついたこともありました。こう言われたのです。「ミス・グレンジャー、きみはそうやってしゃしゃり出て知ったかぶりをせずにはいられないのかね?」(映画『ハリー・ポッターとアズカバンの囚人』岸田恵子訳)。

ハーマイオニーのような状況に陥ったとき、つまり、自分が実際に一番よく知っていて、みんなとその知識を共有したくはあるものの、他の人に話をちゃんと聞いてもらえなかったり、知識をひけらかしていると批判されたりするのはごめんだと思うようなとき、どうしたらよいのでしょう。実のところ、この問題には解決策が存在します。

ある病院では、健康のためにもっと運動をしてくださいと、看護師たちがいくら熱心に説得をしても、言うことを聞く患者はほとんどいませんでした。ところが看護師の同僚、つまり医師が説得に当たると、彼らは指示に従ったのです。なぜ医師は患者を説得できたのでしょう。「医師」の肩書きが違いを生んだのでしょうか。理由を探るために、看護師たちはある巧妙な手を打ちました。卒業証書や看護師免許証、賞状などを診察室の壁に貼ることにしたのです。患者は看護師たちを自慢屋の集団だと考えるようになったでしょうか。まったくそうはなりませんでした。運動をするようになったのです。それも、約三割も多く。

看護師免許を壁に飾ったおかげで、看護師たちは患者からありのままの人物として、つまり、本当に信頼の置ける知識豊富な専門家として見られるようになったのです。その結果は? 患者の承諾率に劇的な改善が生じました。なぜでしょう。そもそも人は、専門家が道筋を示してくれることを期待しており、そして環境のなかにある目立たない合図（たとえば、壁にかかった証書）は、そうした専門家を識別しやすくするからです。

そういうわけで解決策は、目立たないようにやる、ということです。もし、看護師が患者に看護師免許を誇示して、知っていることを教えようとしたなら、専門知識を示すためではなく、自慢したくてやっているんだと思われたかもしれません。資格を証明する証拠を見えるようにしておくだけで、看護師たちのアドバイスの価値は十分に伝わったのです。あなたの場合も同じです。話を始める前に自分の専門知識を紹介する方法があれば、あなたの発言に対する受け手の反応は変わるでしょう。ですから、Ｅメールの署名欄には必ず資格や肩書きを入れるようにしてください。名刺には、なんらかの職業団体や専門機関の一員であることだけでなく、そこでの地位も入れておきましょう。リンクトインのプロフィールを更新し、最近手がけた事業研究やプロジェクトの例を載せましょう。自分のウェブサイトには必ず経歴へのリンクを貼っておきましょう。ひょっとすると、業界誌、あるいは同業者たちに読まれているウェブサイトのブログへの記事の投稿を考えてもよいかもしれません。

もちろん、何を知っているのかを伝えるのが難しい場合もあるでしょう。たとえば、大勢の聴衆を前にプレゼンテーションを行うときや、部屋いっぱいの同僚を相手にアイデアの提案をするときなどです。そのような場面で、あなたの、素晴らしくはあっても自己宣伝的な自慢が並んだファイルを見てから話を聞いてほしいと聞き手に頼むのは、あまり良い手ではなさそうです。専門知識は伝わるかもしれませんが、自慢好きだと取られる可能性もあります。直接的な自己宣伝は問題外として、信頼性と専門知識を示すために何ができるでしょう。

一つの選択肢は他の人に紹介してもらうというやり方です。この方法は長きにわたって、講演や公演の際に広く行われていますし、そういう場面ではプレゼンテーションに先立って発表者の紹介が行われるのが普通です。紹介文はほんの数行で終わることもあります（ので、誰でも自分で簡単に書くことができます）が、それでも驚くほどの効果を発揮して場を温め、受け手はこれからやってくる重要なメッセージを受け入れる気持ちになります。また、あからさまな自己称賛がもたらしかねないダメージを避けることにもつながります。入札や顧客のプロジェクトを勝ち取るため、ビジネスパートナーとともに売り込みをかけるときには、まず自分を紹介するようパートナーに頼みましょう。そしてその後、同じことをパートナーのためにしてあげましょう。売り込みのEメールには以前の顧客からの推薦文を載せましょう。

ある不動産会社では、顧客の質問に対応する受付係に同僚の専門知識を紹介するよう指示を出しました。「セールス部門のサンドラにおつなぎします」と言う代わりに、「サンドラにおつなぎします。彼女はセールス部門の責任者で、地所販売歴十五年以上のベテランです」と言わせたのです。その結果、面談予約件数も契約成立数も劇的に改善しました。

大事なポイントは、車を動かすのに、いつも運転席にいる必要はないということです。話をする前に、その主題に関してあなたがもっている専門知識が伝わるようにお膳立てして、博識だというイメージを与えられれば、相手は納得してあなたの話に耳を傾けるようになるでしょう。

知ってもらうことについて

- 可能な場合はいつでも、他の人から紹介を受けられるようにお膳立てしましょう。
- それができないときには、相手と顔を合わせる前に必ず、あなたの略歴や自己紹介を送っておきましょう。
- 資格や経験は履歴書の一番上に載せましょう。末尾に埋もれさせるのは絶対にやめてください。

8 認める

自分の考えの不都合な点に対して正直であることが、信頼度と説得力を高めます。

日本に伝わる価値観、わび・さびによれば、欠点があることは美しいということです。わび・さびとは、不完全、無常、未完成のなかに美を見出し、それを愛でるという審美的な世界観です。

自分で野菜を栽培したり、組み立て式の家具を組みあげたり、あるいはちょっとクッキーを焼いたりしたことが一度でもある人なら誰でも、不完全さのなかに美が存在することをご存知でしょう。ねじ曲がってはいても自分の畑で取れたニンジン。いささか傾いた椅子。端のところがでこぼこで形もいびつなチョコレートチップクッキー。私たちがしばしば、自分で作ったものに過大な価値を認めるということを踏まえれば、そうしたものの場合、私たちはそれをあるがままに（つまり欠点やら何やら込みで）受け入れやすいのです。

ですが、あるものの欠点を受け入れたり、さらにはそこに備わる美しさを見出そうとする気持ちが、私たち自身の不完全さと欠点にまで拡張されることはめったにありません。典型的なのは採用面接の場面です。ほとんどの応募者は、そうした神経の高ぶる場に臨む際に、まあ仕方ない話ではありますが、雇い主候補に対して自分のスキルと経験の説明を、できるだけ完璧に近い形で行いたいと考えます。喫緊の課題は、求められる人材と完璧にマッチしているように見せて、トップに立つことです。このとき、雑な細部の許される余地はありません。

その一方で、抜け目のない雇い主もそんなことは先刻承知です。だからこそ、彼らはしばしば応募者自身の欠点について尋ねるのです。自分の大きな欠点が露見するのをなんとかして避けようとしながら、応募者はこの質問に対応します。よくあるパターンは、「完璧主義者」だったり「仕事中毒」だったりするのを認めるというものです。そのとき頭に浮かんでいるのは、今はざっくばらんに自分自身を、つまり欠点やら何やらをさらけ出す場合ではないという考えです。

ですが、本当にそうなのでしょうか。

いくつかの場面では、進んで自分の短所について正直になることが、立場を危うくするどころか、有力な立場を得るのに役立つと、心理学の研究は示唆しています。

およそ五十年前に実施された古典的な実験は、この直感に反する考えを実証しているのみならず、ほぼ間違いなく当時よりも複雑で不確実になった今日の世界においてなお、その考えに変わらぬ妥当性があるということを示してもいます。その実験で参加者たちは、二人の人物が質問に答えている場面の録音を聞きました。一人は必ず十問中九問程度正解します。もう一人の正解数は五問程度でした。録音を聞いた後、参加者はそれぞれの回答者の有能さと好感度を評価するよう求められました。当然といえば当然ですが、正答数の多い人物のほうが有能さも好感度も高く評価されました。

ですがこの研究が面白くなるのはここからです。何人かの参加者はこう言われました。正答数が多かったほうの人物は質問に答えている最中、かなりばつの悪いことに、うっかりコーヒーをこぼしてしまったのだと。このへまを伝えた途端、正答数の多かったほうの人物に与えられる有能さと好感度の評価は、いっそう高まりました。ですがコーヒーをこぼしたのは正答数の少ないほうの人物だったと伝えると、その人への評価は、有能さも好感度も底抜けに下落したのです。

どうやら優秀な人物が失敗を認めると、その人物への好感度がさらに向上する場合があるようです（好かれるということについては、「12」でさらにお話しします）。ですが、あまり優秀でない人物には、同じ行為がマイナスの効果をもたらします。心理学ではこれをしくじり効果と呼んでいます。この効果は、もともと比較的有能な人物に限り、失敗を認めた後で魅力が増すと述べています。

そういうわけで、欠点を通じて手に入る強みというものも、ないわけではないようです。完璧な人間などどこにもいない。誰でもそれは知っています。ですから、自分の小さな欠点を認めることで、影響力が大きくなる場合もあるわけです。もちろんこれは、開示される欠点次第の話ではありません。コーヒーをこぼすのはありふれた、比較的たわいもない失敗なので、あなたも人間なんだと思われるだけでしょう。しかし採用面接で打ち明けたのが、以前の職場で上司にコーヒーをかけたという話だったり、それに輪をかけてひどい話になりますが、会社のサーバーにコーヒーをかけ、その結果、大きなトラブルになったというような話だったりした場合には、由々しき大失態とみなされ、採用結果もマズいものとなりそうです。

ですから、他の人に影響を与えたい場面でのアドバイスはこうなります。小さな失敗をすすんで打ち明けましょう。そうすることはあなたが、間違うこともある人間、つまり、他の人とまったく同じだと示すのに役立ちます。やり取りの早い時点で、ざっくばらんに小さな欠点を打ち明けると、それを聞いた相手の、こちらに感じる信憑性、誠実さ、信用性、信頼性が高まります。またそれは、相手がリラックスして、こちらの話に耳を傾けやすくなるということでもあります。ですから、採用面接でお勧めのやり方の一つは、小さな（つまり結果に致命的な悪影響を与えず、対応策を立てれば改善可能な）欠点を正直に認めるというものです。また、面接者が「あなたの欠点について聞かせてもらえますか」という恐ろしい質問を発するまで待つのではなく、今後改善に取り組もうと思っている個人的課題について自分から言及するというのも、良い考えかもしれません。

わび・さびの美学が示唆するように、欠点は隠すべき汚点ではなく、むしろ他の人の目にキャラが立って見える、つまり、人間らしく映るのに役立つ側面です。それは、繰り返しひもとかれた本のページや縁の欠けた茶碗、あるいはジャンパーについた染みと同じように、見る者に訴える力をもっているのです。

認めることについて

- 小さな欠点を認めるためには、それに気づいていなければなりません。自分の欠点に関する（短い）リストを作ってみましょう。
- リストの作成が難しいとき、あるいは自分には欠点がないと思うときには、友達やパートナーに尋ねてみましょう。彼らには、あなたに見えていないものが見えているかもしれません。
- 自分の誤りや、ささいな悪癖を認めることを恐れてはいけません。ただし、いきなりやましい秘密を残らず告白するような真似はやめましょう！

9 頼む

ときとして、欲しいものを手に入れるのに必要なのは、説得よりも、ただそれを頼んでみることだったりします。

アメリカ建国の父の一人、ベンジャミン・フランクリンは多才な人物でした。彼は生涯にわたって、自分の素晴らしい技能をさまざまな試みに向け、著述家、印刷業者、郵便局長、発明家、ユーモア作家といくつもの顔をもっていました。これに加えて、社会活動家、政治家、外交官でもありました。

また、かなりの説得上手でもありましたが、それは、すすんで助力を求めたおかげだと何度か述べています。

彼が好んで語ったエピソードに、政敵の好意を得るために、稀覯《きこう》本を貸してほしいという手紙を出したというものがあります。フランクリンの語るところでは、その後ほどなくして、普段は頑固で、敵意を示すこともしばしばだったその紳士が、議会で向こうから近づいてきて、初めて寛大な態度で敬意を示しながら話しかけてきたそうです。

賢明なるフランクリンには、ときとして助力を求めることが、相手とのあいだに橋をかける効果的な手段になるとわかっていました。また、ひいては、そうすることで相手を説得して味方につけられるということもわかっていたのです。

ですが、もしあなたがベンジャミン・フランクリンのような人物でなかったらどうでしょう。あなたが平凡な人間で、無愛想な職場の同僚に頼み事をする気になれないとしたら。あるいは、何かの課題に取り組むときに、渋面を作っているお隣さんや家族に手伝いを頼むくらいなら、むしろ根気強く一人で頑張ってしまうタイプだったら。それから、別の種類の「頼み事関係」の場面だったらどうでしょう。たとえば、あなたがよく同じバスに乗り合わせる遠くから憧れている素敵なあの人に、コーヒーをご一緒してくれませんか、と勇気を奮い起こして頼む場合だったら。

多くの人にとって、頼み事をするときには、嫌な予想がつきものです。ですが、良いお知らせがあります。もしあなたが頼み事をするのは危険な行為で、拒否される心配や恥をかく可能性がたっぷりあると考えるタイプなら、ホッとできることでしょう。数えきれないほど多くの科学的研究で、頼むという行為には自信をもたせる、ときには開放感を与える性質のあることが実証されています。

高名な心理学者、フランク・フリンとバネッサ・ボーンズは、さまざまなタイプの頼み事（チャリティーへの寄付を勧誘する、携帯電話を貸してくれるよう知らない人にお願いする、さらには長ったらしいアンケートに回答するよう求めるということまで）を検討する研究を数多く実施しています。そして、いつも最初に、頼み事をされた側が同意する見込みはどれくらいあるかを参加者に予想させています。

ほとんどの場合、参加者たちは成功率を低く（実際の半分程度まで低く）見積もります。

頼み事を聞いてもらえる見込みが、たいてい低く見積もられる理由の一つは、私たちが何を重視するかということに関係しています。何かを頼む側は、相手がそれを引き受けた場合にこうむる経済的なコスト（たとえば時間など）を考えがちです。対照的に、頼まれる側が考えやすいのは、断ったときの社会的コストです。このことから、わかりやすい真実が見えてきます。人は私たちの予想よりもずっと「イエス」と答えてくれやすいのです。では頼み事をしてみなかった場合はどうなるでしょう。ビジネスチャンスは失われます。潜在顧客とは接点のないままです。人脈を広げる機会は無駄になります。

頼みを聞いてもらえる見込みを低く見積もるのに加えて、多くの人は助けを求めると立場が悪くなると信じています。ですがそれもまた、往々にして誤解なのです。

私たちはみな、車の助手席に座っているようなものです。その車を運転している人物（おそらくは男性）は、車を停めて道を尋ねることをしないまま、何マイルも間違った道を進んでいきます。おそらく、助けを求めることは弱さの表れだと信じているのでしょう。ですが、その一時的に弱さを感じる（道に迷ったのを認める）ことが、実はずっと強い立場へと続くルートなのです。道に迷ったドライバーの場合なら、目的地へ向かう道に戻るための重要な援助と協力を求めることがそれに当たります。

ですから実際のところ、助けを求めると肩身が狭くなると考えるよりも、力をもらえると考えたほうがずっと生産的です。これはきっと安心材料になるでしょう。とりわけ、資金難に喘いでいたり、いじめやハラスメントの被害に遭っていたりといった難しい状況にいながら、助けを求めればそのせいで非難されると感じているかもしれない人たちにとっては。

また、学生でも、思い切って手を挙げて自分でも馬鹿な質問じゃないかと思っているような質問をすれば、二つのメリットが得られます。第一に、重要な学びのためにもっておくべき追加情報がおそらくは手に入ります。第二に、クラスメートからの感謝も手に入ります。彼らの多くは、あなたと同じ疑問を抱えていたのに、手を挙げることができなかったからです。そうしたクラスメートたちは、その後、他の仲間の学生たちに対するある種の義務感と相互扶助の気持ちを抱きやすくなります。

もしあなたがまだ、助けを求めることの大きな力に納得できていないとしても、トーマス・ギロビッチとビクトリア・メドベックが実施し、『ジャーナル・オブ・パーソナリティー・アンド・ソーシャル・サイコロジー』誌に発表した研究を見れば、考えが変わるかもしれません。ギロビッチとメドベックによれば、行動しなかったことへの後悔には、ほとんど誰にでも当てはまる経時的パターンが存在します。もっと簡単に言い直しましょう。助けを求めたり、お願いを断られたりしたときに感じる気まずさやみっともなさは、辛くともその場限りで終わる傾向があります。ハチに刺されたときと同じく、数分はひどく痛みますが、その痛みは急速にひいていきます。

対照的に、頼み事をしなかったために感じる後悔は、まったく違っています。束の間の針の痛みではなく、ずっと長くあとを引く鈍いうずきと似たものになりがちです。頭の中で、壊れたレコードが鳴っているかのように、「もしあのとき……」という言葉が繰り返されます。

頼むことを後押しする、心強いプラス要因がこれほどたくさんあるのですから、そろそろ無愛想な同僚や不機嫌なご近所さんに対して一歩踏み出してもよい頃合いではないでしょうか。確かに、そうするのには多少の大胆さが必要です。少しの勇気が。ひょっとすると、割の合わないギブ・アンド・テイクを喜んで引き受けなければならないことだってあるかもしれません。ですがきっと、やってみるだけの価値はあります。

頼むことについて

- 直接的なお願いをして返ってきた「イエス」と「ノー」の数を一週間分記録しましょう。そうすればすぐに、頼むことの効果に気がつくはずです。
- 恥をかいて束の間傷つくことがあるかもしれませんが、そんなものはずっと残る「もしあのとき……」といううずきに比べればたいした代償ではないということをお忘れなく。
- 今度何かが必要になったときには、それを求めましょう。

10 会話する

上手に影響力を行使することに関していえば、お喋りは有効です。

人間ほど社交的な動物はいません。他の人と関係している、あるいはつながりがあると感じるとき、私たちは幸福感が高まります。反対に、孤立していたり無視されているときには、惨めな気分になります。ですからこんなことを言うと困惑されるかもしれないのですが、大勢の人がいて、他の人とつながるメリットが与えられている環境にいる場合、私たちはしばしば孤独のほうにより高い価値を置きます。

会議や人脈作りのイベントの場面を考えてみましょう。なんでしたら、バーやホテルのロビーで行われるレセプションパーティーの場面でもかまいません。あなたはそういうときに人付き合いを避けるタイプでしょうか。それとも、もっと「積極的に張り切る」タイプの人でしょうか。つまり、他の人とのつながりを求めていくタイプで、いつでも興味深い人（運がよければ有用なつながりをつくれる、将来的には友人にさえなるかもしれない人）と知り合いになる可能性に目を光らせるほうでしょうか。

もしあなたが後者のタイプに近いなら、お祝い申しあげます。あなたの会話能力は、あなたの人間関係、人脈、そしてそれに関係した影響力といったものの構築能力を向上させていると見込まれます。また、おそらく、あなたは少数派に属してもいます。

実はほとんどの人が、そうした場面では人付き合いを避けようとします。もしあなたがそちらのタイプなら、知っておいたほうがよいかもしれない話があります。他の人たちと接触をもつことの、注目すべき長所をはっきりと示す研究結果があるのです。手短に言えば、もし、人脈を広げ、それによって、将来のチャンスも広げたいと思っているのでしたら、やるべきことははっきりしています。雑談をしてください。

とはいえ、あなたはこう思うかもしれません。「でも、まったく知らない人と会話を始めるのは難しいものですよね。危険なことさえあるかもしれないし、それに、そんな真似をするのは間違いなく、いくつもの社会規範に反しています」。そんなふうに考えてしまう理由は二つあります。

人間性希薄化《インフラヒューマニゼーション》として知られる心理学概念は、名前こそ長いものの内容は単純で、人はしばしば、これといった理由もなく、他の人々が自分たちよりも多少人間らしさに欠けていると思い込むという考えを表しています。これは、憂慮すべき話にも、うぬぼれた話にも思われるかもしれませんが、ある観点から考えた場合には筋が通っています。考えるまでもなく、自分自身の思考、願望、意図、振る舞いには、他の人のそうしたものよりも簡単に触れられるからです。そのため私たちは、見知らぬ人と話を始めるチャンスが来ても、相手が無礼なやつかもしれないとか、何をするかわからないと考えて、たいていの場合、関わりよりも孤独を選びます。そして、相手もたぶん同じことを考えているという点には、ほとんど思い至りません。

もちろん、勇敢にも一歩を踏み出し、見知らぬ人との会話を始めてみたら、すぐに相手が実際にひどく不快なやつだったと判明する可能性もあります。さらに不愉快なことには、相手からそう思われる可能性だってあるのです！

こうした傾向にはテクノロジーも一役買ってしまっています。今日では、テクノロジー経由で他者とつながる機会があまりにも多いため、現実の生活の価値、つまり何よりも基本的な、人と人とのつながりの価値が簡単に見落とされてしまいます。

見知らぬ人と関わることに私たちが及び腰になる理由はともかくとして、それをやっている人たちがかなりのメリットを得ているということについては、行動科学者たちの諸研究が説得力のある証拠を提供しています。

そのうちのある実験は、駅で行われ、一人でいる通勤客が対象とされました。重要なのは、実験の舞台に選ばれたのが始発駅だったということです。つまり、乗客は比較的空いている電車に乗り込むため、ほとんどの場合、知らない人の隣ではなく、他の乗客から離れた座席を選ぶ（これが規範です）見込みが高くなります。実験への参加に同意した通勤客たちの一部は、電車に乗っているあいだに見知らぬ乗客と会話を始めること、相手について興味深い点を見つけること、そして、その相手に自分の話をすることを指示されました。それ以外の通勤客は、他の人とは話さず、孤独を楽しむようにという明確な指示を受けました。そして全員に、電車を降りた後で記入し提出するアンケート用紙が配られました。

電車の場合もバスの場合も、待合室や飛行場のラウンジの場合も、提出されたアンケートの結果には同じパターンが現れました。一人でいるように指示された人と比べて、知らない人と関わるよう指示されたグループでは、通勤時間が有益なものとなったとした人が、ずっと多かったのです。会話は平均で十四分ほど続き、「楽しかった」と評価されました。これは、もし実際に知らない人と会話をしたら、どう感じると思うかという質問に対して、別の通勤者グループが行った予想と正反対でした。また、この通勤者グループの多くは、知らない人に話しかけた場合、会話を拒否されるリスクがかなり高いと考えていました。ですが実際には、「9　頼む」に出てきた話と似た結果になりました。実験参加者の百十八人のなかに、会話を拒絶された人は一人もいなかったのです。

あなたは通勤時間をお喋りの時間ではなく、溜まった電子メールを処理したり、仕事の報告書を読んだり、その日の仕事と関係したあれこれの活動をしたりする時間だと考える人かもしれません。ですが、研究の結果、他の通勤客と会話を始めても、生産性はたいして阻害されないということがわかりました。

この知見は通勤以外のさまざまな場面にも応用可能です。会議、ミーティング、イベント、飲み屋といった、より伝統的な人脈形成環境でもやはり、同じ戦略が使えます。話が始まる前やイベントが開始されるまでのちょっとした空き時間には、なんとなく暇つぶしをしたくなりがちです。ですが次にそうした機会があったときには、アイフォーンや報告書、キンドル、あるいはパソコンをしまって、隣の人と会話を始めてください。それが知り合いを増やし、より広いコネクションを打ち立て、その後、あなたの影響力を広げる、即効性のある方法の一つなのです。安心してもらうためにお伝えしておくと、会話が始まってしばらくのあいだ、相手のことを知り、相手に関する興味深い事実を探そうと努めるなら、実のところ、拒絶される心配はほとんどありません。

会話することについて

- 今度、飛行機やバスに乗ったり、会議に出たときに、隣の人がうつむいて、携帯電話か何かに夢中になっているのでなければ、「こんにちは」と言ってみましょう。
- 鏡の前で「自己紹介」の練習をしましょう。相手の目を見て、自然な笑みを浮かべることをお忘れなく。
- 友人たちとのディナーでは、会話促進のため、全員の携帯電話をテーブルの真ん中に置いておくよう取り決めましょう。そして最初に自分の携帯電話を見た（同席している人たちよりもフェイスブックやツイッターのほうが気になるというサインです）人が食事代を全額もつことにしましょう！

11 人間味を添える

受け手を説得するということに関して、物語は事実をしのぎ、人間味は統計を打ち負かすのです。

一九四七年夏に起きたインドとパキスタンの分裂は、一夜にして友人、親類、共同体をばらばらに引き裂きました。バルデーオという少年にとってそれは、もう友達のユースフと一緒に凧揚げができなくなるということを意味していました。ラホールから引っ越すことになったため、ユースフと再会する望みはほとんどありませんでした。

六十六年後、バルデーオは孫娘とともにインドのカフェで古いスクラップブックを眺めていました。何枚もの色褪せた写真に写っているのは、幼い頃の自分と、久しく消息のわからない友人の姿です。祖父の様子を見て、孫娘はユースフを見つけようと決意します。粘り強い頑張りと巧みなネット検索によって、ユースフに孫がいることがわかります。その孫に連絡をとって二人で一緒に計画を練りました。

玄関をノックする音にバルデーオは扉を開けました。やってきたのが誰だか、すぐにはわかりませんでした。ですが、よく覚えていた声が「誕生日おめでとう、懐かしき友よ」と言った途端、六十年間の分断によって抑えつけられていた思いがあふれ出し、二人はお互いを強く抱きしめ合ったのです。それを近くで見ている優秀な孫二人も目に涙を浮かべていました。二人が目撃しているのは、国境によって離ればなれになった親友二人が、思いやりによって感動的な再会を果たした場面だったからです。

これはインド・パキスタン史の、他の点では悲劇的な時代にあって、数少ない心温まる逸話です。ですが、それだけではありません。実はこれは、グーグルの広告を場面ごとに書き起こしたものです。広告では、グーグルのサーチエンジンが発見とつながりの生まれる経路として位置づけられています。事実と統計を用いてメッセージを伝える代わりにグーグルが利用したのは、説得の科学者と広告のプロが何十年も前から知っている根本的な真理でした。受け手を説得するということに関して、物語は事実をしのぎ、人間味は統計を打ち負かすのです。

説得に人間味を添えることの効果は、広告以外の多くの分野でもはっきりしています。頭の切れる政治家はキャンペーン用の「ストーリー」を作りあげます。彼らは、たとえばシングルマザーが貧困に追い込まれるという物語が、福祉政策見直し計画の細かな説明よりもずっと簡単に、有権者と自分たちの政策とをつなげてくれるとわかっているのです。超一流の教師は、教育者である前にまず何よりもストーリーテラーだとみなされます。政治演説であれ『ＴＥＤトーク』であれ、情報と事実の提供が聴衆の心を動かすことはほとんどないということを、説得上手な人たちは知っています。そして、人々に関する物語ならそれができるということも。どれほどたくさんの客観的情報やデータを示しても、メッセージや提案に人間味を添えることにはかなわないという場合は頻繁にあります。たとえ聴衆が、情報とデータの受け取りに長けているはずの人たちであってもそうなのです。

医学の分野を例に取りましょう。この分野に従事する人々は博識で客観的だと自負しており、患者の状況、地位、あるいは社会階層がどんなものであれ、公平に医療と看護を提供するという崇高な目的をもっています。ですが人というのは、仕事に追われるうち、鈍感になってしまう場合があります。医師や医局長であってもそれは同じです。もし医師たちに、検討中のデータと関係しているのは生身の人間なのだと思い出させたらどうなるでしょう。

かなり風変わりな、ある医学研究が、まさにこの疑問を調べました。患者の写真をレントゲンやＣＴスキャンのデータに添付しておくだけで、医師たちはより「思いやりをもつ」ようになるのでしょうか。つまり、患者の状態をより徹底的に分析し、より多くの検査をするよう指示を出し、より多くの異常に気づくようになるのでしょうか。どの医師の場合も、答えはイエスです。それもかなりの差が出ます。これもまた、人間味を添えた情報がもつ説得の力を示しています。

ではなぜ、メッセージに人間味を添えると、そのメッセージに対する私たちの態度、考え、反応が変わるのでしょうか。なぜ、私たちはしばしば、熟達したストーリーテラーの思いのままに操られてしまうのでしょうか。心理学者はこう論じています。論理と事実に基づく議論にさらされるとき、私たちは自然とその内容について疑念をもったり批判的になったりしやすくなります。ところが、人間味の加わったメッセージは、情報が処理されるやり方を根本的に変えます。物語は聞き手をその中に引き込み、彼らと物語の登場人物たちとのつながりを作ります。その結果、メッセージに内在する主張を受け入れやすくするのです。それどころか、人間味を添えたメッセージやアピールに引き込まれすぎて、聞き手がそこに混ざった不正確さや間違いに気づけなくなることもしばしばです。つまり、そうしたメッセージやアピールは、私たちを感情的に動かすだけでなく、私たちの批判的精神を眠らせてしまうことさえある、といえそうです。

他の人を説得する場合に、ここから得られる教訓は明白です。感情抜きに提示されるデータ、費用、メリットを用いて影響を与えたり説得をしたりする試みは、私たちの心のひだに逆らって進むことになります。ですから、何かを主張する際には、冷たく、固い事実だけを並べて話してはいけません。より温かく柔らかい、人間味あふれる物語も織り交ぜましょう。なぜ、あなたの上司はあなたの提案しようとしている新戦略に関心をもつのでしょう。それはどんなふうに世界を変えたり、生活に影響を与えたりするのでしょうか。それが完了したとき、人々はどんなふうに感じるでしょう。

一人の心、あるいは会社全体、家族、全世界を説得するための方法というのはすべて、人間味の添えられたものであるように思われます。

人間味を添えることについて

✓ 目標がはっきりしているなら、それに命を吹き込む物語を見つけ、他の人々がその目標を望ましいと思うようにしましょう。

✓ 物語を良いものにする要素について考えましょう。聞き手が共感できるキャラクターを発見し、そのキャラクターのモチベーションや願いを提示しましょう。

✓ できる場合はいつでも、グラフや集計表と一緒に（あるいはそうしたものの代わりに）人々の写真を使ってメッセージを伝えましょう。

12 好かれる

誰かに同意してもらいたかったら、まずその人から好かれるようにしましょう。

「正反対のもの同士はひかれ合う」、「類は友を呼ぶ」。どちらの格言もきっと聞き覚えがあるでしょう。もしかすると、それぞれの格言に当てはまるような実例が（いくつも）簡単に思い浮かぶかもしれません。たとえば、どこかのパーティーで出会ったカップルのことを思い出すかもしれません。その人たちのことをよく覚えているのは、二人に似たところがまるでなかったからです。それでも、その二人の関係を自分に（そして他の人に）説明するのは簡単です。正反対のもの同士はひかれ合うと言えばよいのですから。また、もしかすると同じパーティーで、それとは別のカップルとも知り合いになったかもしれません。以心伝心のやりとりが続き、お互いの癖もすっかり相手にうつっているようなカップルです。すぐに、あなたはその二人が今一緒にいるだけでなく、先々一緒になるのだろうと考えます。二人は同類で、類は友を呼ぶというわけです。

こうした状況は、どちらも驚くようなものではありません。私たちは正反対のもの同士がひかれ合う例も、「類は友を呼ぶ」の例も、同じくらい容易に思い浮かべることができます。ですが、この二つは非常に異なっています。片方が言っているのは、人の好感度は相手と自分の似ている度合いに応じるということです。もう片方が言っているのは、人はお互いが違っている度合いに応じてお互いを好きになるということです。では、正しいのはどちらなのでしょう。似ているほうが良いのでしょうか。似ていないほうが良いのでしょうか。

この疑問に答えるためには、時間を一九九三年の夏までさかのぼり、イリノイ州のクインシーという、ミシシッピ川のほとりの町まで出かけなくてはなりません。そこは小さな町で、住民は四万人ほど。そして宝の町という愛称がついています。ダイヤモンドやルビーの鉱山があるから、というわけではありません。そんなものは一つもありません。そうではなく、初期の入植者に繁栄をもたらした肥沃な土地を指して宝と呼んでいるのです。

一九九三年の夏、ミシシッピ川で大氾濫が起こりました。いくつもの町や市が壊滅的被害をこうむりました。クインシーもそうした町の一つでした。そのため、何百人もの住民が昼も夜も交代で働き、何千という土嚢を運んで川の増水を食い止める防壁を造りました。状況はかなりひどいものでした。電力供給は滞り、食料も乏しくなっていきます。疲労と悲観的なムードが川の水位の上昇自体と同じくらいの、いや、ひょっとするとそれ以上の速さで、募っていきました。こうした暗鬱としたときに、良い知らせがもたらされれば、それがどんなにささいなものであれ、また、たとえ束の間であっても、恐ろしい状況をほんの少し明るくしてくれます。そのときは、そうした明るい瞬間の一つが、千マイルも離れたマサチューセッツ州にある別の町の自治会から届いた大量の食料援助という形でやってきました。

なぜ千マイルも離れた場所にある町が、住人のほとんどが知らないどころか聞いたこともないような別の町に対して、これほど寛大な行動をする気になったのでしょうか。また、なぜクインシーだけを援助したのでしょうか。他の多くの町や市も洪水の被害をこうむっていたのです。なぜ他の町はこのニューイングランド[†3]の気前のよさにあずかることができなかったのでしょう。その答えは興味深いものです。関係しているのは、同じ名前ということです。マサチューセッツ州の町も、名前をクインシーといいました。一見するとどうでもよさそうな類似性があっただけで、マサチューセッツ州クインシーの住民は、イリノイ州の同名の町の住民との絆を感じたのです。

ただし、この一見どうでもよさそうな類似性は、決してどうでもよいものではありません。それは人間関係に、そしてひいては説得をする際にも、欠かせない特徴の一つです。私たちは相手が自分と似ていると、より好意を覚え、より親しみを感じます。確かに正反対のもの同士がひかれ合うこともあります。ですが、類が友を呼ぶ場合のほうが、はるかに、はるかにたくさんあります。類

---

†3　ニューイングランドはアメリカ合衆国北東部の六州を合わせた地方のこと。そのなかにはマサチューセッツも含まれている。

似性という概念は非常に根深く、驚くべきことに、私たちは自分と共通したところがあると聞かされると、その相手が好ましくない、あるいは非難されてしかるべきと見なされているようなときでさえ、その人物に対して、しばしば好感や親しみの気持ちが強まります。

ある実験で参加者は「ロシアの怪僧」と呼ばれ、自らの宗教的地位を使って他の人々を食い物にした悪党と広く考えられている人物、グリゴリー・ラスプーチンに関する記事を読み、その後、この極悪人に対する好感度を訊かれました。当然ほとんどの人がまったく好きになれないと回答しました。ですが、あるグループだけはだいぶ好意的な評価を下しました。なぜでしょう。彼らは実験の始めに研究者から、あなたは誕生日がラスプーチンと同じですと言われていたのです。どうやら自分と似たところがあると思うと、大変な悪人に対してさえ、多少は嫌悪感が減るようです。これが類似性のもつ力であり、このようにして、その力は私たちが他の人をどう思うかに影響を与えています。

では、ここから導き出せる結論はどんなものでしょう。一つ、何十年もの研究からわかっていることがあります。それは、相手を好きだと「イエス」という見込みがずっと高くなるということです。そして、もし誰かに対する好感度の多寡と、その相手が自分と似ている度合いとのあいだに強い相関があるのなら、誰かを話に引き込んだり説得したりする際に、共通点を明らかにできれば、その分だけうまくいく見込みが高まるわけです。

ある実験で心理学者たちは、まったく知らない人々に調査票を郵送しました。一部の調査票には差出人からの依頼状が同封されていました。差出人の名前は受取人の名前と似ている場合と似ていない場合がありました。たとえば、ロバート・グリアという人の受け取った調査票は差出人がボブ・グリガーという人に、シンシア・ジョンストンという女性の受け取った調査票は差出人がシンディ・ヨハンソンという人になっているという具合です。他の人は、似たところのない名前の差出人から依頼状を受け取りました。比べてみると、自分と名前の響きが似た差出人からの調査票を受け取った人たちは、調査票に記入して返送する割合が二倍近く高くなりました。ですが、のちに質問してみたところ、差出人の名前が自分と似ていたことを、調査に協力した理由として挙げた人は一人もいませんでした。このことは、誰を好きになるか、また誰を助けるかを決めるに当たって、響きの似た名前がもつ、人々を促す合図としての力とその目立たなさの両方を示しています。

類似性を発動させるのは名前だけではありません。興味、価値観、趣味、好みといったものが同じであれば、それはすべて、潜在的な共通点として強調でき、それが嘘偽りなく確かなものである場合、仲良くなれる見込みが高まります。こうしたことは採用面接、出会い系サイト、あるいは何かのイベントでも起こりえます。そして好感度の上昇により絆が深まり、影響力が強くなります。

ここでのポイントははっきりしています。本当に効果的な説得のできる人は、時間をかけて自分と相手とのあいだにある真の類似性を探し、それを表に出してから要請を行っています。つながりができたばかりの相手との共通点を特定するために、個人的な背景や関心事に関するよく練られた質問を何問か、あるいはせめて軽くインターネットの検索だけでもするようになれば、あなたの説得スキルは大きな飛躍を遂げるでしょう。

　正反対のもの同士はひかれ合うのではないかですって？　もちろん、そういうこともときにはあります。ですが、たいていの場合、ずっと早く「イエス」に到達する近道となるのは、類似性のほうです。

好かれることについて

- しばしば、相手に好かれることが同意を得るための第一歩になります。この可能性を高めるために、相手との共通点を見つけ出しましょう。
- 準備をしましょう。共通した背景、興味、経験など、自分と相手の似ているところを探しましょう。
- そしてそれをしっかりと強調してから、売り込みや要請を行うようにしましょう。

13 褒める

相手から好かれるだけでは不十分です。あなたも相手が好きであることを示す誠実なやり方を見つけ、理解されているという安心感を与えるようにしましょう。

昔、友人の女性が、耳を傾けてくれそうな人なら誰彼かまわず、同僚（友人がその人のことを好きでないのははっきりしていました）への不満を夜遅くまで言いつづけたことがありました。その同僚を説明するのに何度も用いられた単語は、不愉快、頑固、身勝手といったものでした。夜が更け、赤ワインが進むにつれ、この許しがたい同僚への軽蔑を示すために使われる言葉は、さらに華々しくなっていきました。そして、間違いなく、それがどんなものだったかをここで発表するわけにはまいりません。話を聞いている人たちのなかから、「でもその人にだってなにかしら良いところくらいあるでしょう？」と軽い横槍が入るたび、悪口の勢いはますます盛んになりました。話を聞いていた人たちの結論は、その人物が彼女のクリスマスカードの送付先リストに載るのはだいぶ先のことになりそうだ、というものでした。

もしかすると、あなたは彼女と意気投合するかもしれません。絶対とまではいえないにせよ、人生のどこかではほぼ確実に、気に入らない相手と関わらなければならないという状況に出くわします。その相手が詮索好きの、極端に口やかましい姻戚であれ、気難しい同僚であれ、その相手への不満や悪口を他の人に聞いてもらうのは、実に胸のスッとすることかもしれません。ただし、ある味気ない事実は残ります。翌日になったところで、そうした避けられないやり取りをいかに切り抜けるかという難題は、手つかずのまま残っています。しかも、先ほどの友人に至っては、猛烈な二日酔いという迷惑なおまけまでついてきたのです!

さて、もし、あなたがこうした難題とぶつかってしまったときには、どうしたらよいのでしょう。

よくあるアドバイスは、そのような相手を避ける、あるいは無視するというものです。でも、これはしばしば、言うは易く行うは難しで、とりわけ問題の人物が一緒に働く同僚だったり、手放すわけにはいかない顧客だったりするときはそうです。幸い、説得の研究者たちは、有効性の見込める別のやり方を突き止めています。間違いなくそれは、ただ問題の人物を避けるというやり方よりも、ずっとひねりが利いています。また、いささか直感に反しており、おそらくは度胸さえ要するものでもあります。というのも、その戦略では大嫌いなあの人の好ましいところを探さなくてはならず、さらにそれを見つけた後、本人に伝えなくてはならないからです。

このやり方が有効でありながらも実行に移しにくい理由の一つは、相手に対して否定的な感情を抱いていると、褒め言葉を伝えるのが非常に難しくなるという人がほとんどだからです。通常、自分のものの見方を正しいと考える理由をひねり出すのは、それに異を唱える理由を見つけるよりもずっと簡単です。ですが、もしどんな手でも試してみたいと思うほど切羽詰まっているのでしたら、この戦略を効果的に使うための二つのステップをご紹介しましょう。

第一に、こう考えなくてはいけません。たとえその相手についてあなたがどう思おうと、どんな話を聞かされていようと、誰にでも（そうです、たとえあの人であっても！）少なくとも一つくらいは取り柄となる性質や特徴があります。想像するのが難しいかもしれませんが、その人のことを好きだったり、称賛していたり、愛していたりする人が、たぶんどこかにはいるのです。第二に、相手の取り柄である性質や特徴を突き止めた後、それに言及する方法を見つけなくてはいけません。このとき、知っておくべき重要な点は、あなたが探すものは、相手自身に備わった好ましい特徴でなくてもよい、というところです（場合によってはそれでもよいわけですが）。褒めるのは、仕事への取り組みや、過去の実績、あるいはプライベートの時間に行っている何か称賛すべきことでもかまいません。驚くべきことに、職場ではいかがわしく、うぬぼれの激しい、不愉快なのろまのように振る舞っているあの人物が、仕事を離れたところでは、熱心なチャリティーのボランティアだったり、料理の名人だったり、親の面倒をよく見ていたりすることもあります。

嫌いな相手の好ましい点を見つけ出し、それを本人に伝えるよう勧める戦略が、「永遠の大親友」への道を拓《ひら》くと主張するなら、それは馬鹿げた話でしょう。ですが、この方法は確実に、緊張緩和の助けになりますし、その結果、説得成功への道が開《ひら》けることなら、あるかもしれません。なぜでしょう。それは好ましいところを探すことによって、相手が（少なくとも、いくつかの場面においては）実際に好ましい人物であるという非常に重要な発見をするかもしれないからです。そして「12 好かれる」で見たように、たいていの人は、自分の好きな相手に対してのほうが「イエス」と言いやすくなります。また、好きだと言ってくれる人に対しては特に「イエス」と言いやすくなりがちです。

ある研究では、同僚から褒められた直後に、その同じ同僚から何か頼まれると、人は好意的な反応を返しやすいということがわかっています。この承諾率の上昇は、頼み事をしてきた相手への好感度の高さとは関係なく発生しました。承諾率が上がったのは、頼み事をする人が、褒め言葉を伝えることによって、相手の良いところに気づく能力を示したためだったのです。

これは例外的な研究結果ではありません。好意とともに嘘偽りのない褒め言葉を相手に伝えることの有効性は、多くの研究が一貫して示しています。ウェイターが客のメニューのチョイスを褒めた後では、心付けの量が増えました。美容師が顧客の新しいヘアスタイルをどれほど気に入っているか伝えると、よりたくさんのチップがもらえました。おまけにこれは、褒められる側がそうした褒め言葉に下心があると知っているときでさえ、同じ結果を生むのです。

もちろん、私たちは決して、思ってもいないおべっかやお追従《ついしょう》を勧めているわけではありません。ですが、誠実に行われた場合に「褒めて鎮《しず》めて」作戦が提供できる利点は他にもあります。気難しいと思っている人の良いところに焦点を合わせることで、本当にその人のことが少し好きになるかもしれません。私たちは自分自身の行動を主な手がかりにして他者に対する自分の感情を推測します。相手の好ましい点を考えることによって、より前向きな見方で相手を見直すだけでなく、たとえ相手が気難しい人だとしても、称賛の気持ちを言葉にするという行為自体によって、その人に対する理解に前向きな変化を生むことができるのです。

ですから、ここでのアドバイスは、褒め言葉を、誰相手にも説得の道具として遠慮なく用いるべし、というものとは異なります。相手の本当に好ましいところを探し、その人物との会話にそれを盛り込むやり方を見つけましょう。でも、本書をお読みのみなさんなら、そんなことはおそらく先刻承知だったことでしょう。みなさんは非常に判断能力に優れた、知的で魅力的な人々なのですから。

褒めることについて

✓ 何かを頼む前には、相手の良いところを一つ思い浮かべ、会話に褒め言葉を盛り込みましょう。

✓ これはその場限りのものとは限りません。前向きな関係を養い、日頃から褒め言葉を用いましょう。それによって、他の人たちはあなたを肯定的にとらえるようになるかもしれず、そうなれば、いざ何か頼もうというときには、「イエス」と言ってもらえる見込みが高まります！

14 ラベリングする

人にとって名前やラベルは重要な問題です。それらを上手に使いましょう。

遠い昔（正確には三十五年ほど前）、銀河系のはるか彼方で、ルーク・スカイウォーカーは究極の承諾を得ることに成功しました。悪の皇帝から離反するようダース・ベイダーを説得し、その過程で、自らの命を守り、銀河系に希望と平和を取り戻したのです。スカイウォーカーがこの素晴らしい結果を得られたのは、説得の科学者たちによって長年研究されている、単純でありながらも強力な戦略を用いたからでした。

心理学の世界では、この戦略をラベリング・テクニックと呼んでいます。これはなんらかの性格特性、態度、信念、その他を相手にラベルのように貼りつけてから、そのラベルと合致するような要請を行うというものです。『ジェダイの帰還』で、スカイウォーカーはダース・ベイダーに向かってこう言います。「僕にはわかってる、父さんには善の心が残っているって。父さんの善の心を、僕は感じるんだ」。直感的には、このような単純なフレーズだけで、ベイダーの心に変化の種が植えつけることができたとは考えにくい気がしますが、心理学の研究結果ははっきりしています。ラベリングをすることによって、相手のその後の行動に大きな影響を与えられるのです。

ここでは例として、選挙の投票を取りあげましょう。あらゆる民主主義国において、市民の重要な務めは投票権の行使にあるということに異議を唱える人はほとんどいないでしょう。あらゆる意見を表明できる権利を求める戦いは、何世紀ものあいだ続いてきましたし、それによって何百万もの人が命を落としてきました。ですが、にもかかわらず、投票日に投票をしないで済ましてしまう人は、いまだに何百万といいます。そこで、アメリカの研究者たちはかなり興味深い実験を実施しました。調べようとしたのは、投票に行くつもりですと言った直後の人に、望ましい人物というラベリングをするかどうかが、その人の実際の投票行動に何か影響を与えるのか、ということです。彼らは、バラク・オバマとジョン・マケインが立候補していた二〇〇八年の大統領選の時期に、大勢の有権者に聞き取り調査を行い、投票に行くつもりかどうかを尋ねました。そして参加者の半分（グループ1）には、回答から考えて、あなたは「本当に投票に行くと思われる、平均よりも意識の高い市民」だと伝えました。もう半分（グループ2）には、考え方や行動に関する限りあなたは「おおむね平均的である」と伝えました。

そして、各グループの投票率を調べたところ、「意識の高い市民」とラベリングされた人たちは、自分を「意識の高い」市民と見なす割合が「平均的」とラベリングされた人たちより高くなっただけでなく、一週間後の選挙当日に投票を行った割合も一五パーセント高くなっていました。

また、ラベリング・テクニックが有効なのは、政治の領域や（ルーク・スカイウォーカーの事例のように）邪悪な皇帝を倒すときばかりではない、ということもわかっています。あなた自身の説得業務にこのテクニックが利用できる場面はたくさんあります。たとえば、職場に作業の遅れている人がいるとします。つまり、あなたも関わっているプロジェクトの進行が予定よりも遅れてしまっているということです。さらに、他の数名の同僚が、よせばいいのに、遅れを取り戻そうともがいている人物に対して、まったく間違ったタイプのラベリングを行っているとします。「あの人はいつも締め切りに遅れるんだ」とか、「あいつは全然信用できない。間に合わせますなんて言葉を絶対に信じちゃ駄目だ」とかと言うわけです。その結果、問題の人物は自分の実行能力に対する自信をどんどん失っていきます。

このようなときに、有効な対処法は（もちろん、その人なら課題を達成できるとあなたが信じているなら、という話ですが）、その人がどれだけ勤勉で忍耐強いかということを思い出させることです。できればさらに、その人が似たような困難に打ち勝って、ちゃんと納期を守った過去の例に目を向けさせましょう。それが終わったら、今度はあなたの評価と合致する、前向きで有用なラベリングをその人に対して行うことが大切です。たとえば、「だからこの状況を好転させ、納期に間に合わせることができるとわかっているよ。きみのことはいつだって、安心して任せられる人物だと思っているからね」というような。

あるいは、もしかするとあなたは友達を説得して、週末のバックパック旅行や泥まみれになることと請け合いの音楽フェスに同行させたいと思っているかもしれません。そういう場合であれば、断られる危険のある話をもちかける前に、その人がどれほど冒険心があって、進取の気性に富んだ判断ができる人物かを、本人に思い出させるのが良い手でしょう。ときには、望ましい性格特性をラベリングする必要すらないこともあります。そうした望ましい特性を、実は元々もっていたのだと本人が確認するようにもっていき、「セルフ・ラベリング」を行うように働きかけるだけで十分という場合もあるのです。研究者が「あなたは冒険心のあるタイプで、新しいものを試すのが好きですか」と尋ねた後で、新しいソフトドリンクを試すよう求めたときには、七六パーセントが試飲に同意しました。セルフ・ラベリングを行わせる質問をしなかったときには、三三パーセントしか試飲してくれなかったことを考えると、これは目覚ましい結果です。

別の研究では「あなたは人助けができるタイプですか」と尋ねてから協力を求めると、承諾率が二九パーセントから七七パーセントまで上昇しました。どうやら質問をすることで、意識的に自分の記憶を探らせ、あなたがこれから行おうとしている要請と一貫した振る舞いをした経験に意識を向けさせるだけでも、ときには相手を十分その気にさせるようです。このやり方は、望ましい振る舞いをさせたい相手が大人であっても子どもであっても有効です。たとえば、著者たちの研究では、教師が子どもに、きみを見ていると字を綺麗に書こうと頑張っていた他の生徒を思い出すと伝えた場合、子どもたちは字を書く練習に取り組む時間が長くなりました。しかも、周りに監視役がいると思っていないときでさえ、練習を続けたのです。

もちろん、説得に「ダークサイド」はつきものです。本書で紹介している戦略を善い目的ではなく悪い目的のために利用できそうな場面もあるでしょう。でも、私たち著者としては、誘惑がどれほど強かろうと、それぞれの戦略の倫理的使用を断固として勧めます。ですから、他の人へラベリングする性格特性、態度、信念、行動は、元々相手に備わっている能力、経験、個性のうちで、さらに伸ばしてほしいものに、必ず根拠をもつようにしてください。もっとも、あなたが邪《よこしま》な目的のためにそうした計略に頼るほど、さもしい真似をするようなことは絶対にないと私たちは確信しています。

なぜって、あなたの大きな善の心を、私たちは感じているんですから。

ラベリングすることについて

- 行おうとしている要請と一致するような特徴（でっちあげてはいけません）で相手にラベリングする癖をつけましょう。
- ただし、否定的なラベルを貼らないように気をつけてください。友人の遅刻癖を嘆いた結果、次に会うときにはますます遅刻がひどくなったとしても驚いてはいけません。
- できれば、他の人から肯定的なラベル（たとえば仕事熱心とか）を貼られたときのことを振り返って、ラベリング・テクニックの有益な効果を思い出しましょう。

15 理由をつける

要請にはいつも理由をつけましょう。

自分の子どもに、テレビを見るのでなく宿題をやるべきだと納得させるのは、骨の折れる仕事です。パートナーに洗い物をやらせるのも、ルームシェアの相手に資源ゴミを出す当番を守らせるのも、飛行機に乗り遅れそうなときに見ず知らずの人にお願いしてセキュリティチェックの列に割り込ませてもらうのも、すべて大変です。

こうした課題に直面した際に重要なのは、要請を行うに足る正当な理由をもっていることだと聞いて、驚く人はいないでしょう。ですが、その要請の成功に、理由よりももっと欠かせない要因があると聞けば驚くかもしれません。それは、相手が「イエス」と言ってくれる見込みを劇的に高める、ある一つの単語です。

その単語とは、（だ）からです。

（だ）からがもつ説得の力を最初に実証したのは、ハーバード大学の素晴らしい心理学者、エレン・ランガーが一九七〇年代に実施し、心理学の古典となった研究です。彼女の研究が対象としたのは、人が見ず知らずの相手に列の順番を譲ってもよいと思うのは、どんなときかということでした。

実験を行う場所に選ばれたのは、あるビジネス・オフィスで、もっと具体的にいうと、コピー機の周辺でした。

最初の実験で、ランガーはある人（実験の協力者で、話しかけられる側からすればまったく知らない人物）に指示を出し、コピー機を使っている人に「すみません、五枚ほどコピーが取りたいのですが、コピー機を使わせてもらえますか」と尋ねさせました。このかなり直接的な要請に対して、十人中六人が「いいですよ」と応じました。もし承諾率六〇パーセントという結果に驚いたなら、「9 頼む」の主要な知見が、人はたいていの場合、私たちが思っているよりも頼みを聞いてくれるということだったのを思い出してください。そのことは、ランガーの実験でもはっきりと確認されました。また、別の発見もありました。見知らぬ人のお願いに理由がついていた場合（「すみません、五枚ほどコピーが取りたいのですが、コピー機を使わせてもらえますか。急いでいるものですから」）、承諾率は九四パーセントまで上昇しました。ですからどうやら、相手に「イエス」と言ってもらう見込みを大きく上げるやり方の一つは、その要請を行う理由も述べるということになりそうです。

　ですが、まだわかった気にならないでください。この話には続きがありますから。しかもそれは、本当に驚くべき内容です。

　後続の実験でランガーが検討したのは、要請に理由をつける効果だけではありませんでした。理由の中身についても検討したのです。そして、大変奇妙な発見をしました。人が見知らぬ相手の頼みを聞く見込みは、提示された理由にまったく中身がないときでさえ、やはり高くなったのです！

　ときとして、実験の協力者はこんな頼み方をしました。「すみません、五枚ほどコピーが取りたいのですが、コピー機を使わせてもらえますか。コピーを取る必要があるものですから」。これを聞いた相手の反応は「ふん！　もちろんコピーを取らなきゃいけないだろうさ。ここにあるのはコピー機なんだから！」というものだったのでしょうか。まったく違いました！　頼まれた人の九三パーセントは、提示された理由に実質的な、あるいは参考になるような情報さえ何も含まれていなかったというのに、「いいよ、どうぞ」としか言わなかったのです。

　どうやら、要請を行う理由を相手に示すことが重要なのは確かにせよ、理由があるということのほうが、さらにいっそう重要なようです。そして、理由の存在を示すときに使うと抜群の効果を発揮する単語が存在します。それが（だ）からです。

　（だ）からに説得力が宿っているのは、この単語を使うと、相手はたいてい、それなりの理由があるのだろうと考えるからです。

- 管理職向けの研修に参加させてもらうわけにはいきませんか。それで昇進しやすくなる気がするものですから。
- 健康にいいですから、果物と野菜を取ってください。

広告業者は、この（だ）からに宿った説得力を特によく理解しています。

- あなたにはそれだけの価値がありますから（ロレアル）。
- 素晴らしい一日は朝食とともに始まるのだから（ケロッグ）。

とはいえ、注意していただきたいのですが、（だ）からのもつ力には限界があります。ランガーの研究では、コピーさせてもらう枚数を五枚から二十枚に増やした場合、承諾率ががくんと下がりました。どうやらささやかなお願いの場合には、（だ）からをつけるだけで非常に効果がある一方、お願いが大きなものになると、その効果は薄れるようです。頼み事が大きくなるのにしたがって、それをもっともなことだと思わせるだけの理由を示す必要も大きくなるわけです。あるいは、ひょっとすると、誘因が必要になるということでしょうか。

コピー機の実験からだいぶのちに行われた一続きの研究では、列を譲ってもらうために理由ではなく、金銭的な誘因を提示することの効果が調べられました。予想されたとおりかもしれませんが、順番を譲るよう頼むときに謝礼を提示した場合、その金額が大きいほど承諾率は上がりました。ですが驚くのはここからです。なんと順番を譲った人のほとんどが、そのお金を受け取らなかったのです（最も受け取りやすかったのは学生でした）。

どうやら現金を提示するという行為は、その人の必要性のレベルを率直に表していると考えられたようです。そのため、金額が大きければ大きいほど、相手に伝わる必要性の度合いも大きくなり、相手が「イエス」と言う（しかも実際には現金を受け取らない）見込みも高くなったというわけです。

そうなると、ランガーが五十年近く前に発見したことの有効性と重要性は、今日《こんにち》であってもまったく変わらない、ということになりそうです。あなたの要請、提案、考えに「イエス」と言うよう誰かを説得するときには、いつも必ず、しっかりとした論拠を添えるようにしてください。たとえ、その理由が、言うまでもないことのように思える場合であってもです。

子どもに部屋の片付けをさせたり、十代の若者に宿題をやらせたり、ルームシェアの相手にリサイクルをさせたり、パートナーに洗い物をさせたりするときに、どうやって納得させるかという問題の答えは非常に単純です。理由を示し、最後に（だ）からと言ってみましょう。

理由をつけることについて

✓ 誰かに何かを頼む前には、それを頼む理由を明確にしましょう。そして、相手にもその理由がわかるようにしましょう。

✓ 理由をはっきりさせるために、こう自問しましょう。「自分の要請の結果として、どんな利益が得られるだろうか」。

✓ 要請を行う際には必ず「(だ)から」という言葉を使って理由を目立たせましょう。

16 コミットする

要請に対する本物のコミットメントを受け取るために、人の目があるところで、数値化できる目標設定を行うように力説しましょう。

有名な話ですが、ボリス・ジョンソンはロンドン市長をしていた当時、「約束をするのは簡単だ。大変なのは、それを守ることだ」と言いました。政治という観点から見れば、この言葉は、聞いた人が安心できるようなものではありませんが、説得という観点から見れば、そこには残酷な真実が多少なりとも含まれています。誰もが思い知らされているように、あっさりと引き受けてもらえたことが、同じくらいあっさりと実行に移されることはまずありません。親切へのお返し、例の件の報告、あの棚の取りつけといった話の場合、誰かが何かをすると約束することと、その人が実際にそれを行う時間を見つけることとのあいだには、しばしば隔たりが（それもときには大きな隔たりが）あります。

そうなる理由は、かなり単純です。何かをすると約束するのと、それを実行するのとは、まったく違う話だからです。新年のことを考えてみましょう。新年になると、多くの人がかなりたくさんの誓いを立てます。よくある二つの目標は「もっと健康になる」と「もっと運動をする」です。ご注意いただきたいのですが、これはただ、他の多くの人が立てがちな誓いというだけでなく、私たち自身も立てがちな誓いです。昨年立てた誓いの内容が今年のものと寸分違わなかったことを、人は驚くほど簡単に忘れます。そして去年の誓いがどうなったかは、さらに簡単に忘れ去られます。

こうしたことに覚えがあるのは、あなただけではありません。その現象に名前をつけているメディアさえあります。何年か前、著者の一人、スティーブ・マーティンが『ザ・デス・オブ・ア・ダイエット・デイ』という特集でBBCからインタビューを受けました。話題はイギリス全土で行われた大規模な調査の結果でした。その調査では、二月の一日までには八割近い人々が、ほんの数週間前にやる気まんまんで掲げた新年の目標を放り出していたことが明らかになりました。習い性になった行動を変えるのは難しいということです。これは、説得しようとする相手が自分であれ他人であれ、等しく当てはまります。幸い、多くの社会心理学的研究から、コミットメントを行うやり方と、そのコミットメントの管理の仕方に小さな工夫をいくつか施せば、望ましい変化に向かう「粘り強さ」を大きく改善できることがわかっています。

工夫の一つめと関わるのは当事者意識です。コミットメントに従って行動するように誰かを（ときには自分を）説得する場合、そのコミットメントが自発的になされたものだと、時の試練に耐える見込みがずっと高くなります。格言にもあるように、「自らの意思に反した行動を取らせても、その人の考えは変わらない」のです。たいていの人には一貫性への強い選好があります。そのため、自らの信念、価値観、もって生まれた性格に従って行動しようと努めます。ですから普通は、相手に行わせたいコミットメントを、その人の信念、価値観、もって生まれた性格に沿ったものとして表現できれば、（よくあるように）強要されたと感じさせてしまうことなく、自発的にコミットメントを行わせやすくなります。

　自発的なコミットメントは大変効果的ではありますが、永続するコミットメントというのは、ほとんどの場合、人前で能動的に行われたものです。同僚、友人、家族に、人前で能動的なコミットメントを行わせることができれば、将来的にそのコミットメントが取り消される危険は減ります。

　例として、病院、歯医者、美容院などでよく渡される、予約の日時を記したカードのことを考えてみましょう。次回の予約日時を記入しているのは誰でしょう。あなた？　それともお喋りな受付係？　著者たちが中心になって行った研究（数カ所の保健センターで実施されたものです）では、次回の予約日時を、受付係ではなく、患者本人に記入させることの効果を調べました。次回の予約日時を患者本人が記入したグループは、受付係が記入したグループより、一八パーセントもすっぽかし率が低くなりました。

　どうやら人は、自分で能動的に記入したときのほうが、それに従って行動する見込みが高まるようです。

ですから、「何かをするという約束」を「実際にそれを行うこと」にするうえで、書き取りや詳細な説明を、自発的に人前で行うようにさせれば、結果は大きく変わります。チームの面々に目標を書き出すように求めれば、それらの目標へのコミットメントを強める助けとなります。ルームメイトに、その人が以前、整理整頓の行き届いた部屋について言っていたことをやんわりと思い出させれば、脅しや強要、あるいは感情を剥き出しにしたフラストレーションの爆発という手段を使うよりも、よほど効果的に綺麗な住まいが実現するかもしれません。そして、ガールスカウトやボーイスカウトが、仲間の前で誓いを立ててから、その誓いを他の人たちに思い出させる効果をもったバッジを受け取るのと同じように、あなたの目標やコミットメントをフェイスブックに投稿して、フォロワーや友達の支援を得られるようにするかどうかが、二月二日にビスケットを食べているかブロッコリーを食べているかを決めるかもしれません。

従来、目標設定という話題では、自分を（あるいは他の人を）頑張らせるために、きっちりと具体的な数値目標を設定するべし、と考えられてきました。たとえば、毎月体重を一キロ落とす。来年の長期休暇まで毎月五十ポンド貯金する。毎月二冊ずつ本を読む。今日中にアイデアを三つ提出するといった具合です。一見、これは当然の話のように、直感的には思われます。きっちりとした数値目標というのは、紛れもなく具体的ですから。しかし、目標を達成しようとするときには、他にも考慮すべき要因があります。二つの重要な要因はやりがいと到達可能性です。人は目標から十分なやりがいを感じたいと考えます。そうすれば、目標を達成したときに、達成感を味わえるからです。でも、目標が達成できそうにないものになってしまうと、それはやる気を煽《あお》るよりも、むしろくじくものになりがちです。そしてそこに、きっちりとした数値目標の抱える問題があります。きっちりと設定された目標は、かなり容易なものになるか、かなり困難なものになるか、あるいは、このほうがありがちですが、そのあいだのどこかで妥協したものになるかのいずれかだからです。ですが、目標設定の仕方は他にもあります。

それは幅のある数値目標《ハイ・ロー・ゴール》と呼ばれるやり方で、どんな課題へのコミットメントを求めるときであっても、そのコミットメントが維持される見込みを最大限高める効果が期待できます。

ダイエットクラブを舞台にした研究で、あるグループには「一週間で一キロ痩せる」というきっちりとした数値目標を設定させ、別のグループには同じ数字を中心に幅のある数値目標（「一週間で〇・五キロから一・五キロ痩せる」）を設定させたところ、非常に興味深い結果が出ました。きっちりした数値で減量目標を設定したグループでは、参加者のおよそ半数が十週間のプログラムから脱落しました。ところが、幅のある数値目標を設定したグループでは、八割近くの人がやり遂げたのです。おそらく、最も興味深い事実は、幅のある数値目標が全体的な達成度にほとんど影響を与えなかったということでしょう。とはいえ実際のデータを見ると、大した差ではないものの、幅のある数値目標を設定した人々のほうがいささか達成度が高くなりました。ですから、自分に（あるいは他の人に）幅のある数値目標を設定すると、低いほうの値に届いただけで終わってしまうのではないかと心配する必要はありません。どちらかといえば、幅のある数値目標を設定したほうが、コミットメントが長続きするので、その目標に取り組む時間が長くなり、その結果達成度も高くなりやすいのです。

コミットすることについて

- 今度誰かに何かに対するコミットメントを求めたいときには、その人に具体的な目標を与えましょう。
- 自分のコミットメント、あるいは他の人のそれを、みんなのいるところで発表しましょう。たとえば、パブで友人たちに、あなたの別の友人が今度の夏、あなたと一緒に休暇を過ごすと約束したと教えたり、マラソンに出場するというあなたのコミットメントをフェイスブックに投稿したり、社内会議で自分たちのチームはプロジェクトを成功させると約束したりしましょう。
- 自分で目標を設定するときには、きっちりとした数字一つでなく、満足できる結果の範囲を定めましょう。そうすれば、きっと全力を尽くせます！

17 実行する

他の人に約束を守らせるために、それをいつ、どこで、どのように行うかという具体的な計画を立てるよう求めましょう。

レオナルド・ダ・ヴィンチの代表作である肖像画『モナ・リザ』はほとんど誰でも知っています。ですが、このルネサンス期の博学者に、慢性的な先延ばし癖があったことを知っている人は、それほどいないのではないでしょうか。ダ・ヴィンチくらいの天才ともなると、わくわくするようなアイデアをおそらくはたくさん抱えることになります。そのため、興味と注意が別の興味深いアイデアにそれてしまい、計画の多くが未完成、もしくはまったく手つかずのまま終わりました。手稿のなかで、彼はこう自問しています。「何か完成したものが一つでもあったなら教えてくれ。何か完成したものがあったなら教えてくれ」。私たちにとって幸いなことに、完成したものはたくさんありました。そのなかには世界一有名な絵画も含まれています。たとえ、描きあげるまでに十六年近い年月が費やされたにせよ。

やるべきことを翌日にまわしてしまうのがダ・ヴィンチだけでないのは確かです。同僚や友人から「もちろんやっておくよ、任せとけ」と言われ、結局実行されずじまいだったという経験のある人は大勢います。一般論として、将来の支援を約束することは、実際に支援を行うよりも簡単である、というのが現代生活の現実です。これは必ずしも、人間は当てにならないという話ではありません。ただ、目の前のことを考えるときと比べて、将来のことを考えるときには、使える時間の見積もりが実際よりも甘くなりやすいということです。そして、レオナルド・ダ・ヴィンチがそうだったように、何か別のことがもちあがります。先にしてあったコミットメントは、急速に膨らんでいくやることリストに埋まってしまい、「明日やろう」と考えたことの多くが結局見落とされたり、完全に忘れられたりしてしまいます。

その結果、「やるつもり」は「実行する」の遠い親戚で終わりかねなくなります。

ここで思い出していただきたいのは、コミットメントが人前で自発的に行われると、実行されやすくなる場合が多いということです。ですが、いつもそうなるとは限らないのも確かで、意図を示すことと、それを実際に行うこととのあいだに時間が空く場合は特にそうです。究極の説得上手になるためには、何か他にも手を打って、相手が必ず、自分のコミットメントを思い出し、後回しにするのではなく、実際にそれをやり遂げるようにしなくてはなりません。

　そうするためのやり方の一つとして使えるのが実行意図プランです。これは、やると約束したことを、いつ、どこで、どのように実行するか、具体的なプランを作るよう求めるという手法です。投票を例に考えてみましょう。国会議員を選ぶプロセスに参加するのは民主主義国の国民にとって重要だということには、ほとんど誰もが同意します。にもかかわらず、選挙の投票日がやってくると、他の事柄によっていともたやすく、投票所へ行くのを阻まれてしまいます（あるいはもしかすると、忙しい一日の終わりには精も根も尽き果ててしまっているために、待ち望んでいた、そして飲めてしかるべき、一杯の高級ワインによって、国民の務めなど頭から追い出されてしまうかもしれません）。いずれにしても、結果として選挙の投票率は六〇パーセントに届かないこともしばしばです。それとまったく同じことが、研究者たちの有権者に対する電話調査でも起こりました。今度の選挙で投票に行くつもりかという質問に、行くつもりだと答えながら、実際には投票所へ足を運ばない人が大勢いました。ですが、有権者のあるグループだけは、投票の意志を尋ねられた後、実際に投票所へ行く割合がずっと高くなりました。なぜでしょう。そのグループには、投票には何時頃行くつもりか、投票所までどうやって行くつもりかということも尋ねたからです。

　どうやら、頼み事を実行してもらえる見込みを上げるためには、ただ漠然とした一般的なゴールを考えるのではなく、具体的なステップを詳しく検討し、思い描くよう、相手に求める必要があるようです。これが、たとえば子どもに宿題をやらせるときなどに、実行意図プランを作らせると実際にちゃんと宿題をやる見込みが高まるということを意味しているのかどうかはわかりません。ですが、このやり方なら、いつもの飴と鞭的なやり方ほど疲れずに済みそうです。ただ、実行に関する話をちゃんと終わらせるには、もう一人、私たちが常日頃説得するのに苦労している相手のことも取りあげなければなりません。それは自分自身です。自分に課す目標が何であれ（定期的に運動するでも、仕事の生産性を上げるでも、もっと環境に配慮した行動を取るでも、ソーシャルメディアに費やす時間を減らすでも）、述べておくべきことがたくさんあるのは「もしそうしたら、そのときは」実行プランについてです。

この実行プランの使い方は以下のとおりです。まず、ある時刻、場所、もしくはなんらかの出来事の最中に、必ず生じると予想できる状況を合図として選びます。そしてその合図と望ましい行動とを結びつけます。たとえば、もう少し健康的な食生活をしたいと思っているのに、仕事の都合で顧客を接待しなければならないことが多いとします。そういうときに使える「もしそうしたら、そのときは」実行プランの例は次のようになります。「もし外に食事に出て、ウェイターからデザートはいかがですかと尋ねられたら、そのときは、ミントティーを頼もう」。

定期的に身体を動かしたいと思っている場合の「もしそうしたら、そのときは」実行プランであれば、「もし月曜日、水曜日、金曜日に、仕事から戻ったら、そのときはランニングをしよう」などが考えられます。これはただ「できたらいいなあ」と考えるのとは違います。ある研究では、こういった実行意図プランを作成した人の十人中九人が長期間にわたって定期的に身体を動かすようになりました。それに対して、大まかで具体性の少ないプランを作った人で運動習慣を身につけられた人は、十人中三人しかいませんでした。

「もしそうしたら、そのときは」実行プランが効果的なのは、しばらく意識的に努力すれば、それが習慣になるからです。一度プランを作り、その後具体的な合図や状況と出くわせば、関連した行動プランの作動準備が整います。そして、繰り返し実行されていくうちに、その行動はルーチンになります。

レオナルド・ダ・ヴィンチ自身が、いくつかの実行プラン（たとえば、「他のアイデアに気をそらされたら、そのときは肖像画の仕上げに戻ろう、とか）を作ることから利益を得られたかどうかは、考えても推測にしかなりませんが、もしかすると、未完成の作品のいくつかが、さらなる傑作数点になっていたかもしれません。

実行することについて

- 目標を立てるときには、その目標をやることリストに記入するだけでは不十分かもしれないということを忘れないでください。
- 目標を決めたなら、いつ、どこで、どのようにそれを実行するかについての具体的な手順のある実行プランを立てましょう。
- 誰かを説得するときには、相手にこれと同じことをするよう勧めましょう。もしあなたがチームのリーダーやプロジェクトの責任者なら、実行プランの見直しを定期的に行いましょう。

18 比べる

あるアイデアや要請を何と比べるかは、そのアイデアや要請自体と同じくらい重要です。

誰かと競い合う状況に身を置いていると想像してみてください。たとえば、新しい顧客をつかまえるべく売り込みを行っているとします。あるいは、素晴らしい昇進を巡る戦いで最終候補の三人に残ったとします。その選考の場で審査を受ける順番が、結果に何か影響すると思いますか。順番が一番だと成功の見込みは増すのでしょうか。あるいは順番が最後だと勝てる見通しが強まるのでしょうか。

例として、採用面接を取りあげましょう。ほとんどの応募者と同様、あなたもしっかりと準備をしました。履歴書は作り直しました。訊かれそうな質問への答えは事前に練習して磨きあげています。自分が、これまでの経験と実績からみて、その職にぴったりの応募者であるとわかるような証拠と具体例は集めてあります。ですが、まだ検討し残しているかもしれないことがあります。面接を受ける順番には、採用の結果を左右する大きな影響力があります。

何年か前、学者仲間の男性が、ある一流大学の採用面接を受けることになりました。先方は同じ日に何人かの面接を行うつもりだと説明しました。その大学があるのは彼の住んでいるところとは違う州だったので、移動が少しでも楽になるように、面接の時間は彼の希望に合わせてくれるという話でした。現地に前泊し、当日最初の候補者として面接を受けてもよいし、日帰りできるように、後のほうの順番で面接を受けてもよいと言われたのです。彼が選んだのは最初の候補者になることでした。おそらく、そうすれば面接官に強い印象が残り、他の候補者よりも優位に立てると考えたのでしょう。残念ながら、作戦はうまくいきませんでした。彼は採用されなかったのです。

その日、彼には運がなかったのかもしれません。あるいは、もっとふさわしい応募者がいたのかもしれません。いずれにせよ、その経験から彼は面接の心理学について、もっと調べてみようという気になりました。そして、その結果、驚くべき発見がなされたのです。

世界的に有名なある大学で過去五年間に実施された面接の結果をいくつか無作為に拾ってみたところ、そのほとんどで、最後に面接を受けた人が採用されていたということがわかりました。これはきっと学問の世界特有の歪みなのだろうと考えて、彼は他の競合的状況に関する研究をいくつか調べてみたのですが、なんといずれも同じパターンが出現していました。『ユーロビジョン・ソング・コンテスト』では、演奏順が後ろのほうだったアーティストのほうが審査員から高評価を受けており、優勝の可能性が高くなっていました。『アメリカン・アイドル』や『Xファクター』といった番組でも結果は同じでした。これは単に、採用面接、セールス・コンペ、タレント・オーディションといった、人が競い合い、審査を受ける場面では、早い段階で登場した候補者の記憶が審査員のなかで薄れてしまうというだけの話なのでしょうか。もしそうなら、候補者を一人ずつその場で採点した場合には、順番による効果を取り除くことができるはずです。ところが、実際にはそうなっていません。原因は他にあるのです。そして、驚くべきことに、それは候補者の出来よりも、彼らが出てくる順番のほうとずっと強く関係しています。

人がまっさらな状態で決定を下すことはまれです。つまり、選択というものは、それがなされたときの文脈からどうしても影響を受けます。ここでいう文脈には、潜在的な代替案、物理的環境、そして決定を行う直前に考えていたことなども含まれる場合があります。例として、レストランでワインを選ぶときのことを考えてみましょう。三・七五ユーロのハウスワインから始まったリストの真ん中あたりにグラス一杯五・五〇ユーロのワインがあれば高い気がします。ですが、そのリストがグラス一杯九ユーロのワインから始まっていたときには、ずっとお手頃価格に感じられます。ワインに変化があったわけではなく、変わったのは提示される順番だけです。

間違いなく、選択肢が提示される順番は、人がどんな比較を行い、その後どんな選択をするかということに、大きな影響を与えます。そうなると、採用面接というものに対する見方も一気に変わってきます。

何人かいる候補者の一人になったときに、最初の一人になれば、誰とも比較されないなどという間違った考えを抱いてはいけません。比較はされるのです。ただし、比較の相手はおそらく実在の人物ではなく、職務明細書（理想的候補者の特性を一覧にした書面）になります。選別の担当者は最初の候補を評価するときに、評価が辛くなりがちですが、これは最初のほうの参加者に高い点数を与えてしまうと、その後もっと良い候補が出てきたときに、評価に差をつける余地がなくなってしまうとわかっているためです。ですから、他の条件がまったく同じなら、三人以上の候補者がたった一つの採用枠を争うような場面でのアドバイスはこうなります。最後にまわりましょう。

提示する順番をほんの少し変えて説得力を増すやり方は他にもあります。「いつでも比べるものをもっておけ」というのが説得上手のマントラです。つまり、考えておくべき大切な点は、影響力を行使したい相手が意思決定を行う際に、あなたの要請や提案を何と比べるかということです。そこに何か好都合な比較を持ち込むことができれば、説得がうまくいく確率は上がります。そうした比較によって、あなた（や友人たち）の生産性が上がることさえあるのです。ある研究では、実験参加者に六つの課題を割り振りましたが、他のグループの人たちは十個の課題に取り組んでいると始めに伝えると、課題の完遂率がずっと高くなりました。

ですから、あなたの提案や要請に好都合な比較を持ち込むのか、それとも、あなたに有利な既存の文脈を利用するのかはともかくとして、相手が決定を下す瞬間に、あなたの提案を何と比べさせるかということは、検討しておいて損はありません。

比べることについて

- 他の条件が同じなら、三人以上の候補者がたった一つの採用枠を争うような場面では、最後にまわれるように話を進めましょう。
- 提案や要請の準備をするときには、必ず何かこちらに都合の良い比較を考えるようにしましょう。
- 相手があなたのことを何と、あるいは誰と比べそうか考えましょう。そして、あなたにとって、より好ましい比較対象を相手に与えるようにしましょう。

19 倣《なら》う

人は他の人の先例に倣います。ですから、すでに説得し終えた人たちのことを必ず強調するようにしましょう。

決断を下さなければならないのに、どうするのが正しいかわからないという状況に、最後に出くわしたのはいつのことでしょう。正しい選択肢がどれかわからないまま、選択を行わなければならない場面が多々あるのが、現代生活の現実です。そうした決定を下す際に、自分と似た人たちのやったことに倣う場合が非常に多いというのもまた、現代生活の現実です。

空港が良い例になります。もしあなたがこれまでに空港で、それが自分の並ぶべき列なのかどうかよくわからないまま、列に加わったことがあるとすれば、お仲間はたくさんいます。不慣れな場所（空港など）に着き、列に並んで長時間辛抱強く待ちつづけ、やっと先頭にたどり着くと、間違った列に並んでいたことがわかり、正しい列（いつだってそれはもっと短くて進むのが早いと決まっています）を教えてもらったという人の話は、誰でも聞いたことがあります。

レストランも良い例です。あなただったら、食事の場所がいくつもあるなかから、客で混雑する賑やかなレストランと、あまりお客の入っていない静かなお店の、どちらを選びますか。こうした不確かな状況では、往々にして人の入っているお店が選ばれます。また、もし人のあまりいないほうを選んだなら、かなりの確率で入り口に近い席へと案内されるでしょう。これは店が混んでいるように見せるためです。あるいは、あなたはすでにテーブルを予約していたかもしれません。予約をしたとき、あるお店には他の店よりもたくさん星四つや五つのレヴューが入っていたという事実は、あなたのお店選びに影響したのでしょうか。かなりの確率で影響していたはずです。どういった行動を取るのが正しいのかよくわからなかったり、危険があったりする状況では、しばしば他の人の行動に倣うのが、効率良く素早い決定を下すための頼れる手段になります。心理学者はこれを「社会的証明」と呼んでいますが、平たくいえば、私たちはしばしば周囲の人たちの行動に倣うということです。

この群れ的習性に備わった説得の力は繰り返し立証されています。ある古典的研究で検討されたのは、社会的証明がどれほど強く個々人を同調させるかということでした。実験参加者のグループは三本の線A、B、Cのうち、一番長いものはどれかと尋ねられました。正解は明らかにCでした。グループのメンバー（実は一人を除く全員が実験の協力者）は順番に答えを言うよう求められました。全員、わざと間違えてBが一番長いと答えました。この実験で本当に調べたかったのは、最後に答える、何も知らない参加者が、見えたとおりの答えを言うかどうかでした。正解はどう見てもCでしたが、ほとんどの参加者はBと答え、多数派に同調しました。

ではなぜ、私たちのほとんどが、ときに集団からの影響に屈するのでしょうか。理由の一つは、もし他の大勢がすでにあることを行っているとするなら、おそらくそのこと自体が、それを行うのは正しいことであるという合図になるからです。もし何百人もの人が「火事だ」と叫びながら建物を飛び出したなら、彼らに倣うのが一番です。同様に、友人の誰も彼もが最新の映画の話をしていたり、本書をどれだけ気に入ったかというレヴューをSNSに投稿したりしているなら、たぶんそれは、あなたもその映画や本書を気に入るだろうということです。また、他の人に倣うことで二つの根源的な欲求（他の人とつながることと、彼らの承認を得ること）を満たしやすくなります。

ですから、あなたが相手にやらせたいことはすでに大勢がやっているという事実を強調しましょう、というのが、他の人を説得しようとする場面向けのアドバイスになります。家庭でなら、子どもがどうしてもやりたがらないこと（たとえば野菜を食べるなど）をさせるのに論理を用いて説得にかかるのではなく、お友達はみんなやっているよと言ってみましょう。職場でなら、新戦略をすでに支持している人がどれほど大勢いるかを伝えることが、その戦略採用の後押しになるでしょう。また、特定の行楽地を選ぶよう友人たちを説得したいなら、自分の説得力に頼るのではなく、そこに行ったことのある人たちが投稿した肯定的なレヴューを残らず紹介するようにしましょう。

覚えておくべき大切なことは、最も効果のある社会的証明は、説得しようとする相手と最も直接的な類似性をもつ人たちから生じたものである、ということです。行楽地の例を続けると、もしレヴューで褒めているのが、あなたの友人たちと（年齢、ジェンダー、興味といった部分で）似ていない人なら、説得の効果はずっと弱くなります。ですがもし、選んだレヴューの投稿者が、経歴、年齢、興味といった点で友人たちとよく似ていれば、説得力はずっと強まります。

また、望ましくないことがすっかり定着しているという指摘が、実はほとんど同じ結果を招いてしまうこともお忘れなく。配偶者にしょっちゅう「いつも資源物を出し忘れるんだから」と言ったところで、近い将来、相手が変わってくれる見込みはほとんどありません。同様に、職場の誰もが「ここじゃ会議は絶対に定刻通りに始まらないんだ」と言っているなら、突然定刻通りに始まるようになる可能性は減少します。ですから、そういうときの知恵のあるやり方は、あなたが望む行動に人々の注意を向けさせ、彼らと似た多くの人がすでにそれを行っていると強調することです。

それと、自分も多数派の行動から影響を受ける場合があり、さらにはそのせいでチャンスを逃しているかもしれないということには、常に気をつけるようにしてください。もう一度レストランを例に取りましょう。友人たちとのディナーが終わり、デザートのメニューがやってきたとします。会話の種が尽きそうな様子もないので、あなたはデザートを注文することにしましたが、レモン・チーズケーキとクリームブリュレのどちらを選ぶか決めかねています。そこで、誰か他の人が先頭を切って注文するのを待ち、何を選ぶべきかの手がかりを得ようと思います。ところが、最初に発言をした人は、もう満腹だからとデザートを断ってしまいます。二人めもそう言います。あっという間に他の人たちもそれに倣います。あなたにデザートの注文をやめる理由は何もない（どころか、まだ注文したい）のに、その場にできあがった規範のせいで、注文をすれば目立ってしまうことになるでしょう。不承不承、あなたもデザートを断ります。

常に見たものをそのまま真似していると言いたいわけでは決してありませんが、周囲の人たちの行動と意思決定が、私たち自身への強い説得力をもつ場合があるということは、覚えておいたほうがよいでしょう。それで危険を避けやすくなったり、望ましい休暇の過ごし方や映画を選びやすくなるなら、結構なことです。ですが、もしそのせいでデザートの注文もできなくなるのだとしたら、少なくともある種の人たちにとって、それは行き過ぎた説得の手段だといえるかもしれません！

倣うことについて

✓影響を与えたい相手には、同じ状況で他の人がどんな行動を取ったかを必ず示すようにしましょう。

✓人は自分とよく似た人たちの真似をします。ですから、論拠には、あなたが最も自慢に思うものではなく、影響を与えたい相手と最もよく似た誰かに由来するものを用いましょう。

✓フォロワー数の増加を強調してソーシャル・ネットワーク上の「ファン」を増やしましょう。もしフォロワーの数が二百人から四百人に増えたなら、フォロワー数が倍になったという事実をツイートできます。また、ＳＮＳがインスタグラムなら、フォロワーに何か誘因を提供して目標とする数字に到達するのを手伝ってもらいましょう。

20 失う

損失は利益よりも重く感じられるので、説得を行う際には相手が失ってしまうものを強調しましょう。

ある日、職場へ向かう途中、地面に落ちている二十ポンド紙幣を見つけたとします。どのくらい嬉しくなるでしょうか。おそらくあなたは、ほとんどの人と同じように、その紙幣を落とした人の不運に束の間思いを馳《は》せた後、自分の幸運を非常に嬉しく思うでしょう。

逆を考えるために、別の場面を想像してみましょう。歓迎すべき二十ポンドが道に落ちているのを見つけたのではなく、職場についた後、お金を落としていたことに気づきました！　さあ、今度はどんな気持ちになるでしょう。かなり落胆すること請け合いです。そしてきっと、お金を失ったせいで感じる惨めさの度合いは、同じ金額を見つけたときの嬉しさの度合いよりもずっと強くなるはずです。

ほとんど誰であっても、得をしたと考えたときに感じる嬉しさより、損をしたと考えたときに感じる惨めさのほうがずっと強くなるという事実からは、好奇心を刺激する疑問が浮かんできます。もし、ある朝、幸運にも二十ポンドを拾い、その日のうちに、その二十ポンドをなくしたら、それでもやはりがっくりくるのでしょうか。明らかに、経済的な損失はありません。差し引きはゼロです。ですが感情的には、おそらく、かなりがっくりくると考えられます。そして、そうなるのには、心理学者たちによく知られた単純な理由があります。私たちの心のなかで、損は得よりもずっと大きなものとして現れるのです。

ある有名な研究が素晴らしい実証を行っています。光熱費節約のためにできるちょっとした行動をいくつかまとめた報告書を二種類用意して、実験に参加した各家庭にそのどちらかを配りました。二種類の報告書の相違点は一つだけでした。片方の報告書には、お勧めの行動を実行に移すといくら節約できるかが、もう片方には、そうしないといくら失いつづけることになるかが書いてあったのです。二つのメッセージのごく小さな違いからは、すぐに大きな差が生まれました。いくら失うかというメッセージは、節約できるというメッセージの二倍も、お勧めの行動を実行させたのです。説得という観点から見た結論は、はっきりしています。あなたの助言やお勧めに従わなければ失われてしまうものを嘘偽りなく示すことは、相手を行動に駆りたてたり、「イエス」と言わせたりするうえで、非常に効果的な戦略となりえます。

ほとんどの人に「損失回避」という一般傾向が備わっているという事実は、説得によって、支持する先を変更させたり、現在の習慣や行いを改めさせたりしようとするとき、つまり金銭的損失だけを問題にするわけではない場合に、特にやっかいな問題となるかもしれません。お気に入りのブランドから鞍替えする、喫煙のような習慣をやめようとする、あるいはもっと健康的な食習慣を身につけようとする。こういったことにはすべて、お金とは異なる種類のコストがかかります。犠牲になるのは、親しみ、快適さ、あるいは喫煙の場合なら、煙草仲間との絆といったものです。面子を失うということだってあるかもしれません。そうしたことを、どうあっても払いたくないコストだと考える人もいます。もしそのような課題と向き合うことになったら、あるいは誰かがそうした課題と向き合うのを助けることになったら、できることはなんでしょう。

良い出発点の一つは、人間の心に備わった損失と利益の交換レートは、一対一よりむしろ一対二に近いので、現状より多少メリットがある程度の提案に、何かを変えさせる効果はまず見込めないと認識することです。つまり大切なのは、代替案のほうが断然多くの長所をもっていることをはっきりと伝え、そのうえでそうした長所を、放っておけば失われてしまうものとして提示することです。

他の人を説得する際に、もう一つ忘れてはいけない大事な点は、あなたの助言やお勧めの、希少性という観点から見た価値です。説得しようとする相手に、あなたの提案の本当に珍しい、そして独特な点を示すと、説得力が非常に増すでしょう。ですから、職場の同僚を説得して、ある案件を手伝ってもらおうというときには、その案件がもつ独特な点を伝えるのがお勧めです。その際、全員が一致団結しないと、クリスマスのボーナスをもらい損なうことになるかもしれないということも伝えれば、おそらく、さらに効果的でしょう。同様に、友人があなたからのディナーの誘いを受ける見込みは、今月あなたの予定が空いている晩がその日しかないということを伝えると、高まるかもしれません。それに加えて、その日を逃すと、あなたが溜め込んだ、取れたてほやほやのゴシップを聞き損なうことになるとも伝えれば、きっと話はまとまります。

失うことについて

✓説得したい相手が、もしあなたの要請に「イエス」と言った場合、相手は何を得られるのか考えましょう。そしてそれを、あなたの提案を慎重に検討しないと失いかねないものとして相手に提示しましょう。

✓競合を利用して説得力を高めましょう。あなたと会いたがっていたり、あなたのサービスを受けたがっている人が他にもたくさんいるということがわかれば、そうした機会はいっそう魅力的になります。

✓あなたの時間に価値を与えましょう。そうすれば、他の人たちもあなたの時間の価値を認めてくれます。「一日空いてるから、そっちの予定に合わせる」と言ってはいけません。「土曜日の四時か七時なら会える」と言いましょう。

21 終わらせる

インパクトをもち、他の人から忘れられない人になりたいなら、必ず最後を盛りあげましょう。

お気づきかもしれませんが、ポップスターなどのアーティストはほとんどいつも、一番の人気曲や、ファンが最も見たがるレパートリーを、ライヴの最初でも中盤でもなく、最後で披露します。実はこれには理由があります。そうするとファンがずっと高い満足感とともに家路に就くと、彼らは知っているのです。誤解しないでください。最初の印象は重要です。それは当然の話です。ですが、ある体験の最後に何が起きるかということは、たいていの場合、さらにずっと重要で、間違いなくずっと強く記憶に残ります。

例としてこんな場面を想像してみましょう。あなたは苦痛に関する実験への参加を求められます。実験の最初のパートでは、氷水の入ったバケツに一分間片手を突っ込んでいなければなりません。不快な体験ではありますが、あなたはなんとか耐え抜きました。そして実験の第二パートが始まります。今度はもう一方の手を氷水の入ったバケツに、やはり一分間入れておくように求められます。ですが、一分が過ぎたとき、さらに三〇秒、手をバケツに入れたままにしておくように言われます（この三〇秒間は、水の温度が摂氏一度分だけ上昇します）。その後で、もう一度やらなくてはいけないとしたら、この二つの体験のどちらを選ぶかと尋ねられます。あなたが希望するのは、六〇秒の苦痛に耐えることでしょうか。それとも六〇秒の苦痛に、多少辛さが軽くなるとはいえ、さらに三〇秒の苦痛が追加されたものに耐えることでしょうか。

驚くかもしれませんが、ほとんどの人は後者を選びます。つまり、より多くの苦痛を選択するということです。一見まったく筋の通らないこの結果は、実際の体験と、その体験に関する記憶とのあいだに極めて大きな違いが存在すると考えて、初めて理解できます。私たちは、体験を振り返るときにその全体を思い出すことはめったになく、ほとんどの場合、いくつかの特定の瞬間に焦点を合わせています。そして、体験の記憶ということに関しては、特にある瞬間が、他のどの場面よりもずっと重要になります。それは終わりの部分です。氷水を使った実験が見事に実証しているのは、私たちが非常に多くの苦痛に耐える体験をした場合でも、その終わりが悪くなければ、後から好意的な気分でそれを振り返ることができるということです。もう一つ明らかになったのは、私たちがたいてい、不快な体験の持続時間にあまり注意を払わない、それどころか、場合によっては完全に無視してしまうということです。おそらくはそのために、「氷バケツ」実験の参加者たちは、時間にして一・五倍の苦痛のほうを選んだのでしょう。彼らは自分の体験を振り返るときに、苦しんだ時間の長さを無視して、その代わりに、第二パートのほうがマシな終わり方をしたということを思い出したのです。

こうした例は、ポップスターとその人気曲や心理学者と氷水の入ったバケツといったものだけではありません。どこにでも転がっています。誰かがノートパソコンに水をこぼすまで、非常に順調に進んでいた、あの職場でのプレゼンテーション。他の点ではすべてが素晴らしかったのに、ディナーの最後でウェイターが無礼な振る舞いをして台無しになったデート。帰りに列車の遅れや飛行機の欠航があったせいでくすんでしまった、恋人との週末の息抜き旅行。気づいていただきたいのは、こうした不運な終わり方が体験そのものにはなにも影響を与えていないという点です。ウェイターの無礼な振る舞いや飛行機の欠航が起こるまで、あなたは文句のつけようがない素晴らしい時間を過ごしていました。影響を受けたのはそうした体験の記憶です。これを踏まえれば、他の人の興味を引きつけるときに重要なのは、体験の終わり方にささやかな変更を加えることです。

また、もし、次回の長期休暇で素晴らしい思い出を残したければ、予算を散らして、たくさんの小旅行や日帰り旅行の予約をするよりも、予算の大きな塊を一つか二つの素敵な体験に投入し、その時期を長期休暇の終わり近くに設定するほうが、ずっと良いでしょう。それと、自分へのご褒美で飛行機の座席のアップグレードをするつもりなら、往路ではなく復路の飛行機でそうしたほうが、おそらくは断然楽しい思い出が残るということもお忘れなく。

同じことは、他の人との会話や、やり取りについてもいえます。どうやってそれを終わらせるかで、相手のこちらに対する印象が大きく変わる場合もあります。ですから、もし友人や家族と難しい話をしなくてはいけないなら、角突き合わせるような話し合いを先にし、その後は何かもっと楽しい話題に移るか、一緒に楽しめる活動をするかして終えられるように準備をしておきましょう。

あなたの大好きなおばさんだったら、きっとこう助言するはずです。寝るまでには必ず仲直りをしておきなさい。

終わらせることについて

- 一番良いニュースは最後に伝えるようにしましょう。そのほうがずっと大きなインパクトを与えます。
- 発表を行うときには、「何を一番覚えていてもらいたいか」と自問しましょう。そして、その内容を出すのは発表の最後にしましょう。
- 良い時期のことは、自分にも仲間にも努めて思い出させるようにしましょう。素晴らしい時期を分かち合った記憶というのは簡単に忘れられてしまいます。とりわけ、そうした時期のいくつかが、それほど良い終わり方をしなかったときには。

説得の科学

私たち著者は全員が説得の科学者なので、提示するアイデア、提供する知見や助言のすべてが、科学的証拠による裏付けをもっているということにこだわっています。本書に推測、山勘、あるいは直感はありません。紹介しているのは、説得がうまくいく見込みを高めると証明されたアイデアと知見だけです。

本書では、そうした研究をいくつも参照しています。そのなかには著者のうちの一人、あるいは二人以上が実施したものもありますが、多くは他の社会科学・行動科学の研究者によって行われたものです。通常の本では、参考文献すべてを一覧にするのが普通ですが、本書はポケットブックになるように企画されたものなので、科学的文献一覧のページを設ける代わりに、インターネット上で確認ができるようにしてあります。本書に引用された研究をもっと詳しく知りたいと思う方はウェブサイト www.thelittlebookofyes.com へアクセスしていただけば、典拠となった論文へのリンクを貼った参考文献一覧が入手できます。

読書案内

影響力と説得についてさらに学びたいという方のために、お勧めの本をいくつかリストにまとめました。どの本も、より広い説得の世界への入門書として卓越しています。また、どのように影響力を行使して他の人（と場合によっては自分自身）を説得するかということに関する有益な知見も提供しています（そして、そうです。そのうちのいくつかは私たちが書いたものです）。

Ariely, D.（2009）. *Predictably irrational.* Harper Collins.（ダン・アリエリー『予想どおりに不合理――行動経済学が明かす「あなたがそれを選ぶわけ」』早川書房、二〇一三年）

Carnegie, D.（2006）. *How to win friends and influence people.* Vermilion.（D・カーネギー『人を動かす 新装版』創元社、一九九九年）

Cialdini, R. B.（2008）. *Influence: Science and practice,* Fifth edition. Pearson.（ロバート・B・チャルディーニ『影響力の武器［第三版］――なぜ、人は動かされるのか』誠信書房、二〇一四年）

Cialdini, R. B.（2017）. *Pre-Suasion: A revolutionary way to influence and persuade.* Random House Business.（ロバート・チャルディーニ『PRE-SUASION（プリ・スエージョン）――影響力と説得のための革命的瞬間』誠信書

房、二〇一七年）
Galinsky, A., & Schweitzer, M.（2016）. *Friend or foe.* Random House Business.（アダム・ガリンスキー、モーリス・シュヴァイツァー『競争と協調のレッスン――コロンビア×ウォートン流組織を生き抜く行動心理学』TAC出版、二〇一八年）
Goldstein, N., Martin, S., & Cialdini, R.（2017）. *Yes! 60 secrets from the science of persuasion.* Profile Books.（ノア・J・ゴールドスタイン、スティーブ・マーティン、ロバート・B・チャルディーニ『影響力の武器 実践編［第二版］――「イエス！」を引き出す60の秘訣』誠信書房、二〇一九年）
Heath, C., & Heath, D.（2008）. *Made to stick.* Arrow Books.（チップ・ハース、ダン・ハース『アイデアのちから』日経BP社、二〇〇八年）

さらに私たちがユーチューブに投稿した動画（ご好評いただいている一〇分ほどの作品です）も、よかったらご覧ください。動画では影響力と説得の主要原理を説明しています。#scienceofpersuasionで検索してください。

また、私たちのウェブサイト www.influenceatwork.co.uk にも是非お越しください。

監訳者あとがき

「はい」「いいですよ」「オーケー」「了解です」「そうですね」「どうぞ」……このような承諾や同意の言葉は、私たちの耳に心地良く響きます。それによって互いに心が満たされることは、良好な人間関係を築くことにつながるでしょう。『影響力の武器 実践編』の著者たちによって執筆された本書は、そのような方向に「人を動かす」ための心理学的な知識を読者に提供しようとするものです。ポケットブックという位置づけですが、同書の簡略版というわけではありません。チャルディーニの『影響力の武器』に始まる一連の著作で話題の中心になっていたのは消費者としての人間でした。それに対して本書では、承諾や同意が日常の人間関係にとって重要な役割を果たすことが常に念頭に置かれています。その意味で本書は、読者の方々が良好な人間関係を築き、それを継続していくための、「道具箱」と考えることができるでしょう。是非、中の道具を眺めるだけでなく、手に馴染むまでそれらを使い込んでいただければ幸いです。

安藤清志

監訳者紹介

安藤清志（あんどう　きよし）

1950年　東京都に生まれる
1979年　東京大学大学院人文科学研究科博士課程満期退学
　　　　東京女子大学文理学部教授，東洋大学社会学部教授を経て，
現　在　東洋大学名誉教授
　　　　（専門　社会心理学）
編著書　『対人行動学研究シリーズ6　自己の社会心理』（共編）誠信書房 1998年，『社会心理学ペースペクティブ1～3』（共編）誠信書房 1989-90年
訳　書　R. B. チャルディーニ他『影響力の武器 実践編［第二版］——「イエス！」を引き出す60の秘訣』（監訳）誠信書房 2019年，R. B. チャルディーニ『PRE-SUASION（プリ・スエージョン）——影響力と説得のための革命的瞬間』（監訳）誠信書房 2017年，R. B. チャルディーニ他『影響力の武器 戦略編——小さな工夫が生み出す大きな効果』（監訳）誠信書房 2016年，R. B. チャルディーニ『影響力の武器［第三版］——なぜ，人は動かされるのか』（共訳）誠信書房 2014年，J. H. ハーヴェイ『悲しみに言葉を——喪失とトラウマの心理学』誠信書房 2002年

訳者紹介

曽根寛樹（そね　ひろき）

現　在　翻訳家
訳　書　R. B. チャルディーニ他『影響力の武器 実践編［第二版］——「イエス！」を引き出す60の秘訣』（訳）誠信書房 2019年，R. B. チャルディーニ『PRE-SUASION——影響力と説得のための革命的瞬間』（訳）誠信書房 2017年，『影響力の武器 戦略編——小さな工夫が生み出す大きな効果』（訳）誠信書房 2016年，『ベスト・アメリカン・短編ミステリ 2012』（共訳）DHC 2012年

N. ゴールドスタイン，S. マーティン，R. B. チャルディーニ　著
ポケットブック　影響力《えいきょうりょく》の武器《ぶき》
——仕事《しごと》と人間関係《にんげんかんけい》が変《か》わる21の心理学《しんりがく》

2020年６月20日　第１刷発行
2022年１月30日　第２刷発行

監訳者　安藤清志
発行者　柴田敏樹
印刷者　田中雅博

発行所　株式会社　誠信書房
〒112-0012 東京都文京区大塚 3-20-6
電話 03（3946）5666
http://www.seishinshobo.co.jp/

印刷／製本：創栄図書印刷
検印省略

ISBN978-4-414-30427-5　C0011